LA BIBLE POUR LES VEGANS

2 EN 1

100 RECETTES SAINES

MICHELLE DANE, GAUDIN MARTIN

Sommario

TOFU RECETTES POUR LES VÉGÉTALIENS

50 RECETTES SANTÉ

GAUDIN MARTIN

INTRODUCTION

Si vous cherchez à mélanger vos sources de protéines avec des centrales à base de plantes, ne cherchez pas plus loin que le tofu en tant qu'option végétalienne ou végétarienne facile à cuisiner. Le tofu est flexible, en ce qui concerne la cuisson. C'est parce qu'il vient dans une variété de textures (en fonction de la quantité d'eau pressée) et est assez fade. Parce qu'il est relativement insipide, il prend bien d'autres saveurs sans les concurrencer.

Le tofu, également connu sous le nom de caillé de haricots, est un aliment préparé en coagulant du lait de soja, puis en pressant le caillé résultant en blocs blancs solides de douceur variable; il peut être soyeux, doux, ferme, extra ferme ou super ferme. Au-delà de ces grandes catégories, il existe de nombreuses variétés de tofu. Il a une saveur subtile, il peut donc être utilisé dans des plats salés et sucrés. Il est souvent assaisonné ou mariné pour convenir au plat et à ses saveurs, et en raison de sa texture spongieuse, il absorbe bien les saveurs.

Si vous n'avez jamais travaillé avec, la cuisson du tofu peut être intimidante. Mais une fois que vous en savez un peu plus sur le sujet, il ne pourrait pas être plus facile de bien préparer le tofu! Ci-dessous, vous trouverez les recettes les plus délicieuses et les plus faciles à cuisiner comme un pro!

Conseils simples pour la cuisson du tofu:

- Assurez-vous de sélectionner la bonne texture. Dans les épiceries, il va de soyeux à ferme et extra-ferme. Le tofu soyeux doux serait mon choix pour le mélanger dans les desserts ou le trancher dans la soupe miso, mais si vous le servez comme plat principal ou que vous le garnissez dans des bols, vous aurez besoin de plus ferme. Il a une texture plus consistante et plus dense et moins de teneur en eau que les autres types de tofu. Remarque: je préfère acheter du tofu biologique sans soja génétiquement modifié.

- Appuie. Le tofu contient beaucoup d'eau et vous voudrez en presser la plus grande partie, surtout si vous le faites cuire au four, le griller ou le frire. Les presses à tofu sont disponibles dans les magasins, mais il n'est pas nécessaire d'en avoir une. Vous pouvez utiliser une pile de livres, ou tout simplement faire ce que je fais, et utiliser vos mains pour le presser légèrement dans un essuie-tout ou du papier absorbant. (Assurez-vous simplement de ne pas pousser trop fort, sinon il s'effondrera!)

- Pimenter. Il. En haut. Il y a une raison pour laquelle le tofu devient floc pour être fade, et c'est parce que c'est le cas! Assurez-vous de bien l'assaisonner. Vous pouvez le mariner ou le préparer à l'aide d'une recette de tofu cuit croustillant.

1. Caillé de haricots avec sauce aux huîtres

- 8 onces de caillé de haricots
- 4 onces de champignons frais 6 oignons verts
- 3 branches de céleri
- poivron rouge ou vert
- cuillères à soupe d'huile végétale 1/2 tasse d'eau
- cuillère à soupe de fécule de maïs
- cuillères à soupe de sauce aux huîtres 4 cuillères à café de xérès sec
- 4 cuillères à café de sauce soja

Couper le caillé de haricots en cubes de 1/2 pouce. Nettoyez les champignons et coupez-les en tranches. Coupez les oignons en morceaux de 1 pouce. Couper le céleri en tranches de 1/2 pouce de diagonale. Retirez les graines du poivre et coupez le poivron en morceaux de 1/2 pouce.

Faites chauffer 1 cuillère à soupe d'huile dans un wok à feu vif. Cuire le caillé de haricots dans l'huile, en remuant doucement, jusqu'à ce qu'il soit brun clair, 3 minutes. Retirer de la poêle.

Chauffer 1 cuillère à soupe d'huile restante dans un wok à feu vif. Ajouter les champignons, les oignons, le céleri et le poivre, faire sauter pendant 1 minute.

Remettre le caillé de haricots dans le wok. Mélangez légèrement pour combiner. Mélanger l'eau, la fécule de maïs, la sauce aux huîtres, le xérès et la sauce soya. Verser sur le mélange dans le wok. Cuisiner et remuer jusqu'à ébullition du liquide. Cuire et remuer 1 minute de plus.

2. Tofu frit

- 1 bloc de tofu ferme
- ¼ tasse de fécule de maïs
- 4 à 5 tasses d'huile pour la friture

Égouttez le tofu et coupez-le en cubes. Nappez de fécule de maïs.

Ajouter l'huile dans un wok préchauffé et chauffer à 350 ° F. Lorsque l'huile est chaude, ajoutez les carrés de tofu et faites-les frire jusqu'à ce qu'ils deviennent dorés. Égoutter sur du papier absorbant.

Donne 2¾ tasses

Ce shake savoureux et nutritif est idéal pour le petit-déjeuner ou l'après-midi. Pour plus de saveur, ajoutez des baies de saison.

3. Caillé de haricots fermentés aux épinards

- 5 tasses de feuilles d'épinards
- 4 cubes de caillé de haricots fermentés aux piments
- Une pincée de poudre de cinq épices (moins de ⅛ cuillère à café)
- 2 cuillères à soupe d'huile pour sauté
- 2 gousses d'ail émincées

  Blanchissez les épinards en plongeant brièvement les feuilles dans l'eau bouillante. Égouttez soigneusement.

  Écrasez les cubes de tofu fermenté et ajoutez la poudre aux cinq épices.

  Ajoutez de l'huile dans un wok ou une poêle préchauffé. Lorsque l'huile est chaude, ajoutez l'ail et faites sauter brièvement jusqu'à ce qu'il soit aromatique. Ajouter les épinards et faire sauter pendant 1 à 2 minutes. Ajouter le caillé de haricots écrasé au milieu du wok et mélanger avec les épinards. Cuire à fond et servir chaud.

4. Tofu cuit

- 1 livre de boeuf
- 4 champignons séchés
- 8 onces de tofu pressé
- 1 tasse de sauce soja légère
- ¼ tasse de sauce soja foncée
- ¼ tasse de vin de riz chinois ou de xérès sec
- 2 cuillères à soupe d'huile pour sauté
- 2 tranches de gingembre
- 2 gousses d'ail émincées
- 2 tasses d'eau
- 1 anis étoilé

  Coupez le bœuf en fines tranches. Faites tremper les
  champignons séchés dans de l'eau chaude pendant au

moins 20 minutes pour les ramollir. Pressez doucement pour éliminer tout excès d'eau et coupez en tranches.

Coupez le tofu en cubes de ½ pouce. Mélanger la sauce soja légère, la sauce soja noire, le vin de riz Konjac, le blanc et le brun et réserver.

Ajoutez de l'huile dans un wok ou une poêle préchauffé. Lorsque l'huile est chaude, ajoutez les tranches de gingembre et l'ail et faites sauter brièvement jusqu'à ce que ce soit aromatique. Ajouter le bœuf et cuire jusqu'à ce qu'il soit doré. Avant la fin de la cuisson du bœuf, ajoutez les cubes de tofu et faites-les revenir brièvement.

Ajoutez la sauce et 2 tasses d'eau. Ajoutez l'anis étoilé. Porter à ébullition, puis baisser le feu et laisser mijoter. Après 1 heure, ajoutez les champignons séchés. Laisser mijoter encore 30 minutes ou jusqu'à ce que le liquide soit réduit. Si vous le souhaitez, retirez l'anis étoilé avant de servir.

5. Nouilles chinoises à la sauce aux arachides et au sésame

- 1 lb de nouilles à la chinoise
- 2 cuillères à soupe. huile de sésame noir

PANSEMENT:
- 6 cuillères à soupe beurre d'arachide 1/4 tasse d'eau
- 3 cuillères à soupe sauce soja légère 6 c. sauce soja
- 6 cuillères à soupe tahini (pâte de sésame)
- 1/2 tasse d'huile de sésame foncée 2 c. Sherry
- 4 cuillères à café Vinaigre de vin de riz 1/4 tasse de miel
- 4 gousses d'ail moyennes, émincées
- 2 cuillères à café gingembre frais émincé
- 2-3 cuillères à soupe huile de piment fort (ou quantité à votre goût) 1/2 tasse d'eau chaude

Mélanger les flocons de piment rouge et l'huile dans une casserole à feu moyen. Porter à ébullition et éteindre immédiatement le feu. Laisser refroidir. Filtrer dans un petit récipient en verre qui peut être scellé. Réfrigérer.

GARNIR:

- 1 carotte, pelée
- 1/2 concombre moyen ferme, pelé, épépiné et coupé en julienne 1/2 tasse d'arachides rôties, hachées grossièrement
- 2 oignons verts, tranchés finement

Cuire les nouilles dans une grande casserole d'eau bouillante à feu moyen. Cuire jusqu'à ce qu'ils soient à peine tendres et encore fermes. Égoutter immédiatement et rincer à l'eau froide jusqu'à refroidissement. Bien égoutter et mélanger les nouilles avec (2 c. À soupe) d'huile de sésame noire pour qu'elles ne collent pas ensemble.

POUR LA PANSEMENT: mélanger tous les ingrédients sauf l'eau chaude dans un mélangeur et mélanger jusqu'à consistance lisse. Diluez avec de l'eau chaude jusqu'à consistance de la crème à fouetter.

Pour la garniture, épluchez la chair de la carotte en petits copeaux d'environ 4 po de long. Placer dans l'eau glacée pendant 30 minutes pour la friser. Juste avant de servir, mélanger les nouilles avec la sauce. Garnir de concombre, d'arachides, d'oignon vert et de rondelles de carottes. à température ambiante.

6. Nouilles à la mandarine

- champignons chinois séchés
- 1/2 livre de nouilles chinoises fraîches 1/4 tasse d'huile d'arachide
- à soupe de sauce hoisin 1 cuillère à soupe de sauce aux haricots
- à soupe de vin de riz ou de xérès sec 3 cuillères à soupe de sauce soja légère
- ou du miel
- 1/2 tasse de liquide de trempage réservé aux champignons 1 cuillère à café de pâte de chili
- 1 cuillère à soupe de fécule de maïs
- 1/2 poivron rouge - en cubes de 1/2 pouce
- 1/2 boîte de 8 onces de pousses de bambou entières, coupées en 1/2 cubes rincées et égouttées 2 tasses de germes de soja
- oignon vert - tranché finement

Faites tremper les champignons chinois dans 1 1/4 tasse d'eau chaude pendant 30 minutes. Pendant qu'ils trempent, porter à ébullition 4 litres d'eau et cuire les nouilles pendant 3 minutes. Égoutter et mélanger avec 1 cuillère à soupe d'huile d'arachide; mettre de côté.

Retirez les champignons; filtrer et réserver 1/2 tasse du liquide de trempage pour la sauce. Trin et jetez les tiges de champignons; hacher grossièrement les bouchons et réserver.

Mélanger les ingrédients de la sauce dans un petit bol; mettre de côté. Dissoudre la fécule de maïs dans 2 cuillères à soupe d'eau froide; mettre de côté.

Placez le wok à feu moyen-vif. Lorsqu'il commence à fumer, ajoutez les 3 cuillères à soupe restantes d'huile d'arachide, puis les champignons, le poivron rouge, les pousses de bambou et les germes de soja. Faire sauter 2 minutes.

Remuez la sauce et ajoutez-la au wok, et continuez à faire sauter jusqu'à ce que le mélange commence à bouillir, environ 30 secondes.

Mélangez la fécule de maïs dissoute et ajoutez-la au wok. Continuez à remuer jusqu'à ce que la sauce épaississe, environ 1 minute. Ajouter les nouilles et mélanger jusqu'à ce qu'elles soient bien chaudes, environ 2 minutes.

Transférer dans un plat de service et saupoudrer d'oignon vert émincé. Sers immédiatement

7. Caillé de haricots avec sauce aux haricots et nouilles

- 8 onces de nouilles fraîches à la pékinoise
- 1 bloc de tofu ferme de 12 onces
- 3 grosses tiges de bok choy ET 2 oignons verts
- ⅓ tasse de sauce soja foncée
- 2 cuillères à soupe de sauce aux haricots noirs
- 2 cuillères à café de vin de riz chinois ou de xérès sec
- 2 cuillères à café de vinaigre de riz noir
- ¼ cuillère à café de sel
- ¼ cuillère à café de pâte de chili à l'ail

- 1 cuillère à café d'huile de piment fort (page 23)
- ¼ cuillère à café d'huile de sésame
- ½ tasse d'eau
- 2 cuillères à soupe d'huile pour sauté
- 2 tranches de gingembre émincé
- 2 gousses d'ail émincées
- ¼ d'oignon rouge, haché

Faites cuire les nouilles dans l'eau bouillante jusqu'à ce qu'elles soient tendres. Égouttez soigneusement. Égouttez le tofu et coupez-le en cubes. Faire bouillir les bok choy en les plongeant brièvement dans l'eau bouillante et en les égouttant abondamment. Séparez les tiges et les feuilles. Couper les oignons verts sur la diagonale en tranches de 1 pouce. Mélanger la sauce soja noire, la sauce aux haricots noirs, le vin de riz Konjac, le vinaigre de riz noir, le sel, la pâte de piment à l'ail, l'huile de piment fort, l'huile de sésame et l'eau. Mettre de côté.

Ajoutez de l'huile dans un wok ou une poêle préchauffé. Lorsque l'huile est chaude, ajoutez le gingembre, l'ail et les oignons verts. Faire sauter brièvement jusqu'à ce qu'il soit aromatique. Ajouter l'oignon rouge et faire sauter brièvement. Poussez sur les côtés et ajoutez les tiges de bok choy. Ajouter les feuilles et faire sauter jusqu'à ce que le bok choy soit vert vif et l'oignon tendre. Si désiré, assaisonner avec ¼ cuillère à café de sel

Ajouter la sauce au milieu du wok et porter à ébullition. Ajoutez le tofu. Laisser mijoter quelques minutes pour permettre au tofu d'absorber la sauce. Ajoutez les nouilles. Mélangez le tout et servez chaud.

8. Tofu farci aux crevettes

- ½ livre de tofu ferme
- 2 onces de crevettes cuites, pelées et déveinées
- ⅛ cuillère à café de sel
- Poivre à goûter
- ¼ cuillère à café de fécule de maïs
- ½ tasse de bouillon de poulet
- ½ cuillère à café de vin de riz chinois ou de xérès sec
- ¼ tasse d'eau
- 2 cuillères à soupe de sauce aux huîtres
- 2 cuillères à soupe d'huile pour sauté
- 1 oignon vert, coupé en morceaux de 1 pouce

  Égouttez le tofu. Lavez les crevettes et séchez-les avec du papier absorbant. Faites mariner les crevettes dans le sel, le poivre et la fécule de maïs pendant 15 minutes.

En tenant le couperet parallèle à la planche à découper, coupez le tofu en deux dans le sens de la longueur. Coupez chaque moitié en 2 triangles, puis coupez chaque triangle en 2 autres triangles. Vous devriez maintenant avoir 8 triangles.

Coupez une fente dans le sens de la longueur sur un côté du tofu. Farcir ¼ – ½ cuillère à café de crevettes dans la fente.

Ajoutez de l'huile dans un wok ou une poêle préchauffé. Lorsque l'huile est chaude, ajoutez le tofu. Faites dorer le tofu pendant environ 3 à 4 minutes, en le retournant au moins une fois et en veillant à ce qu'il ne colle pas au fond du wok. S'il vous reste des crevettes, ajoutez-les lors de la dernière minute de cuisson.

Ajouter le bouillon de poulet, le vin de riz Konjac, l'eau et la sauce aux huîtres au centre du wok. Porter à ébullition. Baissez le feu, couvrez et laissez mijoter pendant 5 à 6 minutes. Incorporer l'oignon vert. Servir chaud.

9. Caillé de haricots aux légumes Szechwan

- 7 onces (2 blocs) de caillé de haricots pressés
- ¼ tasse de légumes du Sichuan confits
- ½ tasse de bouillon ou de bouillon de poulet
- 1 cuillère à café de vin de riz chinois ou de xérès sec
- ½ cuillère à café de sauce soja
- 4 à 5 tasses d'huile pour la friture

Chauffer au moins 4 tasses d'huile dans un wok préchauffé à 350 ° F. En attendant que l'huile chauffe, coupez le caillé de haricots pressé en cubes de 1 pouce. Hachez le légume Szechwan en cubes. Mélanger le bouillon de poulet et le vin de riz et réserver.

Lorsque l'huile est chaude, ajoutez les cubes de caillé de haricots et faites-les frire jusqu'à ce qu'ils deviennent brun clair. Retirer du wok avec une cuillère à fente et réserver.

Retirez tout sauf 2 cuillères à soupe d'huile du wok. Ajouter le légume Szechwan conservé. Faire sauter pendant 1 à 2 minutes, puis pousser sur le côté du wok. Ajouter le mélange de bouillon de poulet au milieu du wok et porter à ébullition. Incorporer la sauce soja. Ajouter le caillé de haricots pressé. Mélangez le tout, laissez mijoter quelques minutes et servez chaud.

10. Tofu braisé aux trois légumes

- 4 champignons séchés
- ¼ tasse de liquide de trempage réservé aux champignons
- ⅔ tasse de champignons frais
- ½ tasse de bouillon de poulet
- 1½ cuillère à soupe de sauce aux huîtres
- 1 cuillère à café de vin de riz chinois ou de xérès sec
- 2 cuillères à soupe d'huile pour sauté
- 1 gousse d'ail émincée
- 1 tasse de carottes miniatures, coupées en deux

- 2 cuillères à café de fécule de maïs mélangées à 4 cuillères à café d'eau
- ¾ livre de tofu pressé, coupé en cubes de ½ pouce

Faites tremper les champignons séchés dans de l'eau chaude pendant au moins 20 minutes. Réserver ¼ tasse du liquide de trempage. Trancher les champignons séchés et frais.

Mélanger le liquide de champignons réservé, le bouillon de poulet, la sauce aux huîtres et le vin de riz Konjac. Mettre de côté.

Ajoutez de l'huile dans un wok ou une poêle préchauffé. Lorsque l'huile est chaude, ajoutez l'ail et faites sauter brièvement jusqu'à ce qu'il soit aromatique. Ajoutez les carottes. Faire sauter pendant 1 minute, puis ajouter les champignons et faire sauter.

Ajouter la sauce et porter à ébullition. Remuez le mélange de fécule de maïs et d'eau et ajoutez-le à la sauce en remuant rapidement pour épaissir.

Ajoutez les cubes de tofu. Mélangez le tout, baissez le feu et laissez mijoter pendant 5 à 6 minutes. Servir chaud.

11. Triangles de tofu farcis au porc

- ½ livre de tofu ferme
- ¼ livre de porc haché
- ⅛ cuillère à café de sel
- Poivre à goûter
- ½ cuillère à café de vin de riz chinois ou de xérès sec
- ½ tasse de bouillon de poulet
- ¼ tasse d'eau

- 2 cuillères à soupe de sauce aux huîtres
- 2 cuillères à soupe d'huile pour sauté
- 1 oignon vert, coupé en morceaux de 1 pouce

Égouttez le tofu. Placez le porc haché dans un bol moyen. Ajouter le sel, le poivre et le vin de riz Konjac. Faites mariner le porc pendant 15 minutes.

En tenant le couperet parallèle à la planche à découper, coupez le tofu en deux dans le sens de la longueur. Coupez chaque moitié en 2 triangles, puis coupez chaque triangle en 2 autres triangles. Vous devriez maintenant avoir 8 triangles.

Coupez une fente dans le sens de la longueur le long de l'un des bords de chaque triangle de tofu. Farcir un quart de cuillère à café de porc haché dans la fente.

Ajoutez de l'huile dans un wok ou une poêle préchauffé. Lorsque l'huile est chaude, ajoutez le tofu. S'il vous reste du porc haché, ajoutez-le également. Faites dorer le tofu pendant environ 3 à 4 minutes, en le retournant au moins une fois et en veillant à ce qu'il ne colle pas au fond du wok.

Ajouter le bouillon de poulet, l'eau et la sauce aux huîtres au centre du wok. Porter à ébullition. Baissez le feu, couvrez et laissez mijoter pendant 5 à 6 minutes. Incorporer l'oignon vert. Servir chaud.

12. Crêpes aux canneberges et sirop

Donne 4 à 6 portions

1 tasse d'eau bouillante
¹1/2 tasse de canneberges séchées sucrées
½ tasse de sirop d'érable
¼ tasse de jus d'orange frais
¼ tasse d'orange hachée
1 cuillère à soupe de margarine végétalienne
11/2 tasse de farine tout usage
1 cuillère à soupe de sucre
1 cuillère à soupe de levure chimique

¹1/2 cuillère à café de sel

11/2 tasse de lait de soja

¼ tasse de tofu soyeux mou, égoutté

1 cuillère à soupe d'huile de canola ou de pépins de raisin, et plus pour la friture

Dans un bol résistant à la chaleur, verser l'eau bouillante sur les canneberges et laisser ramollir, environ 10 minutes. Bien égoutter et mettre de côté.

Dans une petite casserole, mélanger le sirop d'érable, le jus d'orange, l'orange et la margarine et chauffer à feu doux en remuant pour faire fondre la margarine. Garder au chaud. Préchauffer le four à 225 ° F.

Dans un grand bol, mélanger la farine, le sucre, la poudre à pâte et le sel et réserver.

Dans un robot culinaire ou un mélangeur, mélanger le lait de soja, le tofu et l'huile jusqu'à homogénéité.

Versez les ingrédients humides dans les ingrédients séchés et mélangez en quelques mouvements rapides. Incorporez les canneberges ramollies.

Sur une plaque chauffante ou une grande poêle, chauffer une fine couche d'huile à feu moyen-vif. Louche 1/4 tasse à 1/3 tasse

de la pâte sur la plaque chauffante. Cuire jusqu'à ce que de petites bulles apparaissent sur le dessus, 2 à 3 minutes. Retourner la crêpe et cuire jusqu'à ce que le deuxième côté soit doré, environ 2 minutes de plus. Transférer les crêpes cuites dans un plat résistant à la chaleur et garder au chaud au four pendant la cuisson du reste. Servir avec du sirop d'orange et d'érable.

13. Tofu glacé au soja

Donne 4 portions

- 1 livre de tofu extra-ferme, égoutté, coupé en tranches de 1/2 pouce et pressé
- ¼ tasse d'huile de sésame grillé
- ¼ tasse de vinaigre de riz
- 2 cuillères à café de sucre

Épongez le tofu et disposez-le dans un plat allant au four de 9 x 13 pouces et réservez.

Dans une petite casserole, mélanger la sauce soja, l'huile, le vinaigre et le sucre et porter à ébullition. Versez la marinade chaude sur le tofu et laissez mariner 30 minutes en retournant une fois.

Préchauffer le four à 350 ° F. Faites cuire le tofu pendant 30 minutes, en le retournant une fois à mi-cuisson. Servir immédiatement ou laisser refroidir à température ambiante, puis couvrir et réfrigérer jusqu'à ce que vous en ayez besoin.

14. Tofu à la cajun

Donne 4 portions

- 1 livre de tofu extra-ferme, égoutté et épongé
- Le sel
- 1 cuillère à soupe plus 1 cuillère à café d'assaisonnement cajun
- 2 cuillères à soupe d'huile d'olive
- ¼ tasse de poivron vert émincé
- 1 cuillère à soupe de céleri émincé

- 2 cuillères à soupe d'oignon vert émincé
- 2 gousses d'ail émincées
- 1 boîte (14,5 onces) de tomates en dés, égouttées
- 1 cuillère à soupe de sauce soja
- 1 cuillère à soupe de persil frais haché

Coupez le tofu en tranches de 1/2 pouce d'épaisseur et saupoudrez les deux côtés de sel et de 1 cuillère à soupe d'assaisonnement cajun. Mettre de côté.

Dans une petite casserole, chauffer 1 cuillère à soupe d'huile à feu moyen. Ajouter le poivron et le céleri. Couvrir et cuire 5 minutes. Ajouter l'oignon vert et l'ail et cuire à découvert 1 minute de plus. Incorporer les tomates, la sauce soja, le persil, la cuillère à café restante du mélange d'épices cajun et le sel au goût. Laisser mijoter 10 minutes pour mélanger les saveurs et réserver.

Dans une grande poêle, chauffer la 1 cuillère à soupe d'huile restante à feu moyen-vif. Ajouter le tofu et cuire jusqu'à ce qu'il soit doré des deux côtés, environ 10 minutes. Ajouter la sauce et laisser mijoter 5 minutes. Sers immédiatement.

15. Tofu croustillant avec sauce aux câpres grésillante

Donne 4 portions

- 1 livre de tofu extra-ferme, égoutté, coupé en tranches de 1/4 de pouce et pressé
- Sel et poivre noir fraîchement moulu
- 2 cuillères à soupe d'huile d'olive, et plus si nécessaire
- 1 échalote moyenne, émincée
- 2 cuillères à soupe de câpres
- 3 cuillères à soupe de persil frais haché
- 2 cuillères à soupe de margarine végétalienne
- Jus de 1 citron

Préchauffer le four à 275 ° F. Assécher le tofu et assaisonner avec du sel et du poivre au goût. Placez la fécule de maïs dans un bol peu profond. Draguez le tofu dans la fécule de maïs en enrobant tous les côtés.

Dans une grande poêle, chauffer 2 cuillères à soupe d'huile à feu moyen. Ajouter le tofu, par lots si nécessaire, et cuire jusqu'à ce qu'il soit doré des deux côtés, environ 4 minutes de chaque côté. Transférer le tofu frit dans un plat résistant à la chaleur et réserver au chaud au four.

Dans la même poêle, chauffer la 1 cuillère à soupe restante d'huile à feu moyen. Ajouter l'échalote et cuire jusqu'à ce qu'elle soit ramollie, environ 3 minutes. Ajouter les câpres et le persil et cuire 30 secondes, puis incorporer la margarine, le jus de citron et sel et poivre au goût, en remuant pour fondre et incorporer la margarine. Garnir le tofu de sauce aux câpres et servir immédiatement.

16. Tofu frit à la campagne avec sauce dorée

Donne 4 portions

- 1 livre de tofu extra-ferme, égoutté, coupé en tranches de 1/2 pouce et pressé
- Sel et poivre noir fraîchement moulu
- $^1/3$ tasse de fécule de maïs
- 2 cuillères à soupe d'huile d'olive
- 1 oignon jaune doux moyen, haché
- 2 cuillères à soupe de farine tout usage
- 1 cuillère à café de thym séché
- $^1/8$ cuillère à café de curcuma
- 1 tasse de bouillon de légumes, fait maison (voir Bouillon de légumes léger) ou acheté en magasin
- 1 cuillère à soupe de sauce soja

- 1 tasse de pois chiches cuits ou en conserve, égouttés et rincés
- 2 cuillères à soupe de persil frais haché, pour la garniture

Épongez le tofu et assaisonnez avec du sel et du poivre au goût. Placez la fécule de maïs dans un bol peu profond. Draguez le tofu dans la fécule de maïs en enrobant tous les côtés. Préchauffez le four à 250 ° F.

Dans une grande poêle, chauffer 2 cuillères à soupe d'huile à feu moyen. Ajouter le tofu, par lots si nécessaire, et cuire jusqu'à ce qu'il soit doré des deux côtés, environ 10 minutes. Transférer le tofu frit dans un plat résistant à la chaleur et réserver au chaud au four.

Dans la même poêle, chauffer la 1 cuillère à soupe restante d'huile à feu moyen. Ajouter l'oignon, couvrir et cuire jusqu'à ce qu'il soit ramolli, 5 minutes. Découvrir et réduire le feu à doux. Incorporer la farine, le thym et le curcuma et cuire 1 minute en remuant constamment. Incorporer lentement le bouillon, puis le lait de soja et la sauce soja. Ajouter les pois chiches et assaisonner de sel et de poivre au goût. Continuez à cuire, remuez fréquemment, pendant 2 minutes. Transférer dans un mélangeur et mélanger jusqu'à consistance lisse et crémeuse. Remettre dans la casserole et chauffer jusqu'à ce qu'il soit chaud, en ajoutant un peu plus de bouillon si la sauce est trop épaisse. Verser la sauce sur le tofu et saupoudrer de persil. Sers immédiatement.

17. Asperges et tofu glacés à l'orange

Donne 4 portions

- 2 cuillères à soupe de mirin
- 1 cuillère à soupe de fécule de maïs
- 1 paquet (16 onces) de tofu extra-ferme, égoutté et coupé en lanières de 1/4 de pouce
- 2 cuillères à soupe de sauce soja
- 1 cuillère à café d'huile de sésame grillé
- 1 cuillère à café de sucre
- $^{1}/4$ cuillère à café de pâte de piment asiatique
- 2 cuillères à soupe d'huile de canola ou de pépins de raisin
- 1 gousse d'ail émincée
- $^{1}/2$ cuillère à café de gingembre frais émincé
- 5 onces d'asperges minces, les extrémités dures parées et coupées en morceaux de 11/2 po

Dans un bol peu profond, mélanger le mirin et la fécule de maïs et bien mélanger. Ajouter le tofu et mélanger doucement pour enrober. Réserver pour mariner pendant 30 minutes.

Dans un petit bol, mélanger le jus d'orange, la sauce soya, l'huile de sésame, le sucre et la pâte de piment. Mettre de côté.

Dans une grande poêle ou un wok, chauffer l'huile de canola à feu moyen. Ajouter l'ail et le gingembre et faire sauter jusqu'à ce qu'ils soient parfumés, environ 30 secondes. Ajouter le tofu mariné et les asperges et faire sauter jusqu'à ce que le tofu soit bien doré et que les asperges soient juste tendres, environ 5 minutes. Incorporer la sauce et cuire environ 2 minutes de plus. Sers immédiatement.

18. Pizzaiola au tofu

Donne 4 portions

- 2 cuillères à soupe d'huile d'olive
- 1 paquet (16 onces) de tofu extra-ferme, égoutté, coupé en tranches de 1/2 pouce et pressé (voir Bouillon de légumes léger)
- Le sel
- 3 gousses d'ail émincées
- 1 boîte (14,5 onces) de tomates en dés, égouttées
- 1/4 tasse de tomates séchées au soleil dans l'huile, coupées en lanières de 1/4 de pouce
- 1 cuillère à soupe de câpres
- 1 cuillère à café d'origan séché

- $1/2$ cuillère à café de sucre
- Poivre noir fraichement moulu
- 2 cuillères à soupe de persil frais haché, pour la garniture

Préchauffer le four à 275 ° F. Dans une grande poêle, chauffer 1 cuillère à soupe d'huile à feu moyen. Ajouter le tofu et cuire jusqu'à ce qu'il soit doré des deux côtés, en le retournant une fois, environ 5 minutes de chaque côté. Saupoudrez le tofu de sel au goût. Transférer le tofu frit dans un plat résistant à la chaleur et réserver au chaud au four.

Dans la même poêle, chauffer 1 cuillère à soupe d'huile restante à feu moyen. Ajouter l'ail et cuire jusqu'à ce qu'il soit ramolli, environ 1 minute. Ne dorez pas. Incorporer les tomates en dés, les tomates séchées au soleil, les olives et les câpres. Ajouter l'origan, le sucre, le sel et le poivre au goût. Laisser mijoter jusqu'à ce que la sauce soit chaude et que les saveurs soient bien combinées, environ 10 minutes. Garnir les tranches de tofu frit avec la sauce et saupoudrer de persil. Sers immédiatement.

19. Tofu «Ka-Pow»

Donne 4 portions

- 1 livre de tofu extra-ferme, égoutté, épongé et coupé en cubes de 1 pouce
- Le sel
- 2 cuillères à soupe de fécule de maïs
- 2 cuillères à soupe de sauce soja
- 1 cuillère à soupe de sauce aux huîtres végétarienne

- 2 cuillères à café de Nothin 'Fishy Nam Pla ou 1 cuillère à café de vinaigre de riz
- 1 cuillère à café de sucre brun clair
- ½ cuillère à café de poivron rouge écrasé
- 2 cuillères à soupe d'huile de canola ou de pépins de raisin
- 1 oignon jaune doux moyen, coupé en deux et coupé en tranches de ½ pouce
- poivron rouge moyen, coupé en tranches de ¼ de pouce
- oignons verts, hachés
- ½ tasse de feuilles de basilic thaï

Dans un bol moyen, mélanger le tofu, le sel au goût et la fécule de maïs. Remuer pour enrober et réserver.

Dans un petit bol, mélanger la sauce soja, la sauce aux huîtres, le nam pla, le sucre et le poivron rouge écrasé. Bien mélanger et réserver.

Dans une grande poêle, chauffer 1 cuillère à soupe d'huile à feu moyen-vif. Ajouter le tofu et cuire jusqu'à ce qu'il soit doré, environ 8 minutes. Retirer de la poêle et réserver.

Dans la même poêle, chauffer 1 cuillère à soupe d'huile restante à feu moyen. Ajouter l'oignon et le poivron et faire sauter jusqu'à ce qu'ils soient ramollis, environ 5 minutes. Ajouter les oignons verts et cuire 1 minute de plus. Incorporer le tofu frit, la sauce et le basilic et faire sauter jusqu'à ce qu'il soit chaud, environ 3 minutes. Sers immédiatement.

20. Tofu à la sicilienne

Donne 4 portions

- 2 cuillères à soupe d'huile d'olive
- 1 livre de tofu extra-ferme, égoutté, coupé en tranches de 1/4 de pouce et pressé Sel et poivre noir fraîchement moulu
- 1 petit oignon jaune, haché
- 2 gousses d'ail émincées
- 1 boîte (28 onces) de tomates en dés, égouttées
- 1/4 tasse de vin blanc sec
- 1/4 cuillère à café de poivron rouge broyé
- 1/3 tasse d'olives Kalamata dénoyautées
- 11/2 cuillères à soupe de câpres

- 2 cuillères à soupe de basilic frais haché ou 1 cuillère à café séchée (facultatif)

Préchauffez le four à 250 ° F. Dans une grande poêle, chauffer 1 cuillère à soupe d'huile à feu moyen. Ajouter le tofu, en lots si nécessaire, et cuire jusqu'à ce qu'il soit doré des deux côtés, 5 minutes de chaque côté. Assaisonner avec du sel et du poivre noir au goût. Transférer le tofu cuit dans un plat résistant à la chaleur et garder au chaud au four pendant que vous préparez la sauce.

Dans la même poêle, chauffer 1 cuillère à soupe d'huile restante à feu moyen. Ajouter l'oignon et l'ail, couvrir et cuire jusqu'à ce que l'oignon soit ramolli, 10 minutes. Ajouter les tomates, le vin et le poivron rouge broyé. Porter à ébullition, puis réduire le feu à doux et laisser mijoter à découvert pendant 15 minutes. Incorporer les olives et les câpres. Cuire encore 2 minutes.

Disposez le tofu sur une assiette ou des assiettes individuelles. Versez la sauce sur le dessus. Saupoudrer de basilic frais, le cas échéant. Sers immédiatement.

21. Sauté Thai-Phoon

Donne 4 portions

- 1 livre de tofu extra-ferme, égoutté et tapoté dr
- 2 cuillères à soupe d'huile de canola ou de pépins de raisin
- échalotes moyennes, coupées en deux sur la longueur et coupées en tranches de 1/8 de pouce
- 2 gousses d'ail émincées
- 2 cuillères à café de gingembre frais râpé
- 3 onces de chapeaux de champignons blancs, légèrement rincés, épongés et coupés en tranches de 1/2 pouce
- 1 cuillère à soupe de beurre d'arachide crémeux
- 2 cuillères à café de sucre brun clair
- 1 cuillère à café de pâte de piment asiatique

- 2 cuillères à soupe de sauce soja
- 1 cuillère à soupe de mirin
- 1 boîte (13,5 onces) de lait de coco non sucré
- 6 onces d'épinards frais hachés
- 1 cuillère à soupe d'huile de sésame grillé
- Riz ou nouilles fraîchement cuits, à servir
- 2 cuillères à soupe de basilic ou de coriandre frais haché finement
- 2 cuillères à soupe d'arachides grillées non salées écrasées
- 2 cuillères à café de gingembre cristallisé émincé (facultatif)

Couper le tofu en dés de 1/2 pouce et réserver. Dans une grande poêle, chauffer 1 cuillère à soupe d'huile à feu moyen-vif. Ajouter le tofu et faire sauter jusqu'à ce qu'il soit doré, environ 7 minutes. Retirer le tofu de la poêle et réserver.

Dans la même poêle, chauffer 1 cuillère à soupe d'huile restante à feu moyen. Ajouter les échalotes, l'ail, le gingembre et les champignons et faire sauter jusqu'à ce qu'ils soient ramollis, environ 4 minutes.

Incorporer le beurre d'arachide, le sucre, la pâte de chili, la sauce soja et le mirin. Incorporer le lait de coco et mélanger jusqu'à homogénéité. Ajouter le tofu frit et les épinards et porter à ébullition. Réduire le feu à moyen-doux et laisser mijoter, en remuant de temps en temps, jusqu'à ce que les épinards soient fanés et que les saveurs soient bien mélangées, 5 à 7 minutes. Incorporer l'huile de sésame et laisser mijoter encore une minute. Pour servir, verser le mélange de tofu sur votre choix de riz ou de nouilles et garnir de noix de coco, de basilic, d'arachides et de gingembre confit, si vous en utilisez. Sers immédiatement.

22. Tofu au four peint au chipotle

Donne 4 portions

- 2 cuillères à soupe de sauce soja
- 2 piments chipotle en conserve dans adobo
- 1 cuillère à soupe d'huile d'olive
- 1 livre de tofu extra-ferme, égoutté, coupé en tranches de 1/2 pouce d'épaisseur et pressé (voir Bouillon de légumes léger)

Préchauffer le four à 375 ° F. Huiler légèrement un plat de cuisson de 9 x 13 pouces et réserver.

Dans un robot culinaire, mélanger la sauce soja, les chipotles et l'huile et mélanger jusqu'à homogénéité. Grattez le mélange de chipotle dans un petit bol.

Badigeonner le mélange de chipotle des deux côtés des tranches de tofu et les disposer en une seule couche dans la casserole préparée. Cuire au four jusqu'à ce qu'il soit chaud, environ 20 minutes. Sers immédiatement.

23. Tofu grillé avec glaçage au tamarin

Donne 4 portions

- 1 livre de tofu extra-ferme, égoutté et épongé
- Sel et poivre noir fraîchement moulu
- 2 cuillères à soupe d'huile d'olive
- 2 échalotes moyennes, émincées
- 2 gousses d'ail émincées
- 2 tomates mûres, hachées grossièrement
- 2 cuillères à soupe de ketchup
- ¼ tasse d'eau
- 2 cuillères à soupe de moutarde de Dijon
- 1 cuillère à soupe de cassonade foncée
- 2 cuillères à soupe de nectar d'agave
- 2 cuillères à soupe de concentré de tamarin
- 1 cuillère à soupe de mélasse noire
- ¹1/2 cuillère à café de poivre de Cayenne moulu

- 1 cuillère à soupe de paprika fumé
- 1 cuillère à soupe de sauce soja

Couper le tofu en tranches de 1 pouce, assaisonner de sel et de poivre au goût et réserver dans un plat allant au four peu profond.

Dans une grande casserole, chauffer l'huile à feu moyen. Ajouter les échalotes et l'ail et faire revenir 2 minutes. Ajoutez tous les ingrédients restants, à l'exception du tofu. Réduire le feu à doux et laisser mijoter 15 minutes. Transférer le mélange dans un mélangeur ou un robot culinaire et mélanger jusqu'à consistance lisse. Remettre dans la casserole et cuire 15 minutes de plus, puis laisser refroidir. Verser la sauce sur le tofu et réfrigérer au moins 2 heures. Préchauffez un gril ou un gril.

Faire griller le tofu mariné, en le retournant une fois, pour le réchauffer et le faire dorer joliment des deux côtés. Pendant que le tofu est en train de griller, réchauffez la marinade dans une casserole. Retirer le tofu du gril, badigeonner chaque côté de sauce au tamarin et servir immédiatement.

24. Tofu farci au cresson

Donne 4 portions

- 1 livre de tofu extra-ferme, égoutté, coupé en tranches de ¾ de pouce et pressé (voir Bouillon de légumes léger)
- Sel et poivre noir fraîchement moulu
- 1 petit bouquet de cresson, les tiges dures enlevées et hachées
- 2 tomates italiennes mûres, hachées
- ½ tasse d'oignons verts émincés
- 2 cuillères à soupe de persil frais haché
- 2 cuillères à soupe de basilic frais émincé
- 1 cuillère à café d'ail émincé
- 2 cuillères à soupe d'huile d'olive
- 1 cuillère à soupe de vinaigre balsamique
- Une pincée de sucre

- ¹1/2 tasse de farine tout usage
- ¹1/2 tasse d'eau
- 11⁄2 tasse de chapelure sèche non assaisonnée

Coupez une longue poche profonde sur le côté de chaque tranche de tofu et placez le tofu sur une plaque à pâtisserie. Assaisonner de sel et de poivre au goût et réserver.

Dans un grand bol, mélanger le cresson, les tomates, les oignons verts, le persil, le basilic, l'ail, 2 cuillères à soupe d'huile, le vinaigre, le sucre et le sel et le poivre au goût. Mélanger jusqu'à ce que le tout soit bien mélangé, puis farcir soigneusement le mélange dans les poches de tofu.

Placez la farine dans un bol peu profond. Versez l'eau dans un autre bol peu profond. Placez la chapelure sur une grande assiette. Draguez le tofu dans la farine, puis plongez-le soigneusement dans l'eau, puis draguez-le dans la chapelure en l'enrobant soigneusement.

Dans une grande poêle, chauffer les 2 cuillères à soupe d'huile restantes à feu moyen. Ajouter le tofu farci à la poêle et cuire jusqu'à ce qu'il soit doré, en le retournant une fois, 4 à 5 minutes de chaque côté. Sers immédiatement.

25. Tofu à la pistache et à la grenade

Donne 4 portions

- 1 livre de tofu extra-ferme, égoutté, coupé en tranches de 1/4 de pouce et pressé (voir Bouillon de légumes léger)
- Sel et poivre noir fraîchement moulu
- 2 cuillères à soupe d'huile d'olive
- ½ tasse de jus de grenade
- 1 cuillère à soupe de vinaigre balsamique
- 1 cuillère à soupe de sucre brun clair
- 2 oignons verts, émincés
- ½ tasse de pistaches décortiquées non salées, hachées grossièrement

- Assaisonnez le tofu avec du sel et du poivre au goût.

Dans une grande poêle, chauffer l'huile à feu moyen. Ajouter les tranches de tofu, par lots si nécessaire, et cuire jusqu'à ce qu'elles soient légèrement dorées, environ 4 minutes de chaque côté. Retirer de la poêle et réserver.

Dans la même poêle, ajouter le jus de grenade, le vinaigre, le sucre et les oignons verts et laisser mijoter à feu moyen pendant 5 minutes. Ajouter la moitié des pistaches et cuire jusqu'à ce que la sauce épaississe légèrement, environ 5 minutes.

Remettre le tofu frit dans la poêle et cuire jusqu'à ce qu'il soit chaud, environ 5 minutes, en déposant la sauce sur le tofu pendant qu'il mijote. Servir aussitôt, saupoudré des pistaches restantes.

26. Tofu de l'île aux épices

Donne 4 portions

- ¹/2 tasse de fécule de maïs
- ¹/2 cuillère à café de thym frais émincé ou 1/4 cuillère à café séchée
- ¹/2 cuillère à café de marjolaine fraîche hachée ou 1/4 cuillère à café séchée
- ¹1/2 cuillère à café de sel
- ¹/4 cuillère à café de poivre de Cayenne moulu
- ¹/4 cuillère à café de paprika sucré ou fumé
- ¹/4 cuillère à café de sucre brun clair
- ¹/8 cuillère à café de piment de la Jamaïque
- 1 livre de tofu extra-ferme, égoutté et coupé en lanières de 1/2 pouce
- 2 cuillères à soupe d'huile de canola ou de pépins de raisin
- 1 poivron rouge moyen, coupé en lanières de 1/4 po
- 2 oignons verts, hachés
- 1 gousse d'ail émincée
- 1 piment jalapeño, épépiné et émincé

- 2 tomates italiennes mûres, épépinées et hachées
- 1 tasse d'ananas frais ou en conserve haché
- 2 cuillères à soupe de sauce soja
- ¼ tasse d'eau
- 2 cuillères à café de jus de citron vert frais
- 1 cuillère à soupe de persil frais haché, pour la garniture

Dans un bol peu profond, mélanger la fécule de maïs, le thym, la marjolaine, le sel, le poivre de Cayenne, le paprika, le sucre et le piment de la Jamaïque. Bien mélanger. Draguez le tofu dans le mélange d'épices en l'enrobant de tous les côtés. Préchauffez le four à 250 ° F.

Dans une grande poêle, chauffer 2 cuillères à soupe d'huile à feu moyen. Ajouter le tofu dragué, par lots si nécessaire et cuire jusqu'à ce qu'il soit doré, environ 4 minutes de chaque côté. Transférer le tofu frit dans un plat résistant à la chaleur et réserver au chaud au four.

Dans la même poêle, chauffer 1 cuillère à soupe d'huile restante à feu moyen. Ajouter le poivron, les oignons verts, l'ail et le piment jalapeño. Couvrir et cuire, en remuant de temps en temps, jusqu'à tendreté, environ 10 minutes. Ajouter les tomates, l'ananas, la sauce soja, l'eau et le jus de citron vert et laisser mijoter jusqu'à ce que le mélange soit chaud et que les saveurs se soient combinées, environ 5 minutes. Versez le mélange de légumes sur le tofu frit. Saupoudrer de persil haché et servir immédiatement.

27. Tofu au gingembre avec sauce aux agrumes et hoisin

Donne 4 portions

- 1 livre de tofu extra-ferme, égoutté, épongé et coupé en cubes de 1/2 pouce
- 2 cuillères à soupe de sauce soja
- 2 cuillères à soupe plus 1 cuillère à café de fécule de maïs
- 1 cuillère à soupe plus 1 cuillère à café d'huile de canola ou de pépins de raisin
- 1 cuillère à café d'huile de sésame grillé
- 2 cuillères à café de gingembre frais râpé
- oignons verts, émincés
- 1/3 tasse de sauce hoisin
- 1/2 tasse de bouillon de légumes, fait maison (voirBouillon de légumes léger) ou acheté en magasin
- 1/4 tasse de jus d'orange frais

- 11⁄2 cuillères à soupe de jus de citron vert frais
- 11⁄2 cuillères à soupe de jus de citron frais
- Sel et poivre noir fraîchement moulu

Placez le tofu dans un bol peu profond. Ajouter la sauce soja et mélanger pour enrober, puis saupoudrer de 2 cuillères à soupe de fécule de maïs et mélanger pour enrober.

Dans une grande poêle, chauffer 1 cuillère à soupe d'huile de canola à feu moyen. Ajouter le tofu et cuire jusqu'à ce qu'il soit doré, en tournant de temps en temps, environ 10 minutes. Retirer le tofu de la poêle et réserver.

Dans la même poêle, chauffer la 1 cuillère à café d'huile de canola restante et l'huile de sésame à feu moyen. Ajouter le gingembre et les oignons verts et cuire jusqu'à ce qu'ils soient parfumés, environ 1 minute. Incorporer la sauce hoisin, le bouillon et le jus d'orange et porter à ébullition. Cuire jusqu'à ce que le liquide soit légèrement réduit et que les saveurs aient une chance de se fondre, environ 3 minutes. Dans un petit bol, mélanger la 1 cuillère à café de fécule de maïs restante avec le jus de lime et le jus de citron et ajouter à la sauce, en remuant pour épaissir légèrement. Assaisonnez avec du sel et du poivre selon votre goût.

Remettre le tofu frit dans la poêle et cuire jusqu'à ce qu'il soit enrobé de sauce et bien chauffé. Sers immédiatement.

28. Tofu à la citronnelle et aux pois mange-tout

Donne 4 portions

- 2 cuillères à soupe d'huile de canola ou de pépins de raisin
- 1 oignon rouge moyen, coupé en deux et tranché finement
- 2 gousses d'ail émincées
- 1 cuillère à café de gingembre frais râpé
- 1 livre de tofu extra-ferme, égoutté et coupé en dés de 1/2 pouce
- 2 cuillères à soupe de sauce soja
- 1 cuillère à soupe de mirin ou de saké

- 1 cuillère à café de sucre
- $^1\!/2$ cuillère à café de poivron rouge écrasé
- 4 onces de pois mange-tout, parés
- 1 cuillère à soupe de citronnelle émincée ou le zeste d'un citron
- 2 cuillères à soupe d'arachides grillées non salées grossièrement moulues, pour la garniture

Dans une grande poêle ou un wok, chauffer l'huile à feu moyen-vif. Ajouter l'oignon, l'ail et le gingembre et faire sauter pendant 2 minutes. Ajouter le tofu et cuire jusqu'à ce qu'il soit doré, environ 7 minutes.

Incorporer la sauce soja, le mirin, le sucre et le poivron rouge écrasé. Ajouter les pois mange-tout et la citronnelle et faire sauter jusqu'à ce que les pois mange-tout soient tendres et croquants et que les saveurs soient bien mélangées, environ 3 minutes. Garnir d'arachides et servir immédiatement.

29. Tofu double sésame avec sauce tahini

Donne 4 portions

- ½ tasse de tahini (pâte de sésame)
- 2 cuillères à soupe de jus de citron frais
- 2 cuillères à soupe de sauce soja
- 2 cuillères à soupe d'eau
- ¼ tasse de graines de sésame blanches
- ¼ tasse de graines de sésame noir
- ½ tasse de fécule de maïs
- 1 livre de tofu extra-ferme, égoutté, éponné et coupé en lanières de 1/2 pouce
- Sel et poivre noir fraîchement moulu
- 2 cuillères à soupe d'huile de canola ou de pépins de raisin

Dans un petit bol, mélanger le tahini, le jus de citron, la sauce soya et l'eau, en remuant pour bien mélanger. Mettre de côté.

Dans un bol peu profond, mélanger les graines de sésame blanches et noires et la fécule de maïs, en remuant pour mélanger. Assaisonnez le tofu avec du sel et du poivre au goût. Mettre de côté.

Dans une grande poêle, chauffer l'huile à feu moyen. Draguez le tofu dans le mélange de graines de sésame jusqu'à ce qu'il soit bien enrobé, puis ajoutez-le à la poêle chaude et faites cuire jusqu'à ce qu'il soit doré et croustillant de partout, en le retournant au besoin, 3 à 4 minutes par côté. Faites attention de ne pas brûler les graines. Nappez de sauce tahini et servez aussitôt.

30. Ragoût de tofu et edamame

Donne 4 portions

- 2 cuillères à soupe d'huile d'olive
- 1 oignon jaune moyen, haché
- ½ tasse de céleri haché
- 2 gousses d'ail émincées
- 2 pommes de terre Yukon Gold moyennes, pelées et coupées en dés de 1/2 pouce
- 1 tasse d'edamames frais ou surgelés décortiqués
- 2 tasses de courgettes pelées et coupées en dés
- ½ tasse de petits pois surgelés
- 1 cuillère à café de sarriette séchée
- ½ cuillère à café de sauge séchée émiettée
- ⅛ cuillère à café de poivre de Cayenne moulu
- 11/2 tasse de bouillon de légumes, fait maison (voirBouillon de légumes léger) ou du sel du commerce et du poivre noir fraîchement moulu

- 1 livre de tofu extra-ferme, égoutté, épongé et coupé en dés de 1/2 pouce
- 2 cuillères à soupe de persil frais haché

Dans une grande casserole, chauffer 1 cuillère à soupe d'huile à feu moyen. Ajoutez l'oignon, le céleri et l'ail. Couvrir et cuire jusqu'à ce qu'ils soient ramollis, environ 10 minutes. Incorporer les pommes de terre, les edamames, les courgettes, les pois, la sarriette, la sauge et le poivre de Cayenne. Ajouter le bouillon et porter à ébullition. Réduire le feu à doux et assaisonner de sel et de poivre au goût. Couvrir et laisser mijoter jusqu'à ce que les légumes soient tendres et que les saveurs soient mélangées, environ 40 minutes.

Dans une grande poêle, chauffer la 1 cuillère à soupe d'huile restante à feu moyen-vif. Ajouter le tofu et cuire jusqu'à ce qu'il soit doré, environ 7 minutes. Assaisonner de sel et de poivre au goût et réserver. Environ 10 minutes avant la fin de la cuisson du ragoût, ajoutez le tofu frit et le persil. Goûter, ajuster les assaisonnements si nécessaire et servir immédiatement.

31. Soy-Tan Dream Côtelettes

Donne 6 portions

- 10 onces de tofu ferme, égoutté et émietté
- 2 cuillères à soupe de sauce soja
- ¼ cuillère à café de paprika doux
- ¼ cuillère à café de poudre d'oignon
- ¼ cuillère à café d'ail en poudre
- ¼ cuillère à café de poivre noir fraîchement moulu
- 1 tasse de farine de gluten de blé (gluten de blé vital)
- 2 cuillères à soupe d'huile d'olive

Au robot culinaire, mélanger le tofu, la sauce soja, le paprika, l'oignon en poudre, l'ail en poudre, le poivre et la farine. Traitez jusqu'à ce que le tout soit bien mélangé. Transférer le mélange sur une surface de travail plane et former un cylindre. Divisez le mélange en 6 morceaux égaux et aplatissez-les en escalopes très fines, ne dépassant pas 1/4 de pouce d'épaisseur. (Pour ce faire, placez chaque escalope entre deux morceaux de papier ciré, de film ou de papier sulfurisé et roulez à plat avec un rouleau à pâtisserie.)

Dans une grande poêle, chauffer l'huile à feu moyen. Ajouter les escalopes, par lots si nécessaire, couvrir et cuire jusqu'à ce qu'elles soient bien dorées des deux côtés, 5 à 6 minutes de chaque côté. Les côtelettes sont maintenant prêtes à être utilisées dans les recettes ou à servir immédiatement, garnies d'une sauce.

32. Mon petit pain de viande

Donne 4 à 6 portions

- 2 cuillères à soupe d'huile d'olive
- ⅔ tasse d'oignon émincé
- 2 gousses d'ail émincées
- 1 livre de tofu extra-ferme, égoutté et épongé
- 2 cuillères à soupe de ketchup

- 2 cuillères à soupe de tahini (pâte de sésame) ou de beurre d'arachide crémeux
- 2 cuillères à soupe de sauce soja
- $\frac{1}{2}$ tasse de noix moulues
- 1 tasse d'avoine à l'ancienne
- 1 tasse de farine de gluten de blé (gluten de blé vital)
- 2 cuillères à soupe de persil frais haché
- $1\frac{1}{2}$ cuillère à café de sel
- $\frac{1}{2}$ cuillère à café de paprika doux
- $\frac{1}{4}$ cuillère à café de poivre noir fraîchement moulu

Préchauffer le four à 375 ° F. Huiler légèrement un moule à pain de 9 pouces et réserver. Dans une grande poêle, chauffer 1 cuillère à soupe d'huile à feu moyen. Ajouter l'oignon et l'ail, couvrir et cuire 5 minutes jusqu'à ce qu'ils soient ramollis.

Au robot culinaire, mélanger le tofu, le ketchup, le tahini et la sauce soja et mélanger jusqu'à consistance lisse. Ajouter le mélange d'oignon réservé et tous les ingrédients restants. Mélanger jusqu'à ce que le tout soit bien mélangé, mais avec un peu de texture.

Grattez le mélange dans la casserole préparée. Presser fermement le mélange dans la casserole en lissant le dessus. Cuire au four jusqu'à ce qu'il soit ferme et doré, environ 1 heure. Laisser reposer 10 minutes avant de trancher.

33. Pain doré à la vanille

Donne 4 portions

1 paquet (12 onces) de tofu soyeux ferme, égoutté
1 1/2 tasse de lait de soja
2 cuillères à soupe de fécule de maïs
1 cuillère à soupe d'huile de canola ou de pépins de raisin
2 cuillères à café de sucre
1 1/2 cuillères à café d'extrait de vanille pure
1/4 cuillère à café de sel
4 tranches de pain italien du jour
Huile de canola ou de pépins de raisin, pour la friture

Préchauffer le four à 225 ° F. Dans un mélangeur ou un robot culinaire, mélanger le tofu, le lait de soja, la fécule de maïs, l'huile, le sucre, la vanille et le sel et mélanger jusqu'à consistance lisse.

Versez la pâte dans un bol peu profond et trempez le pain dans la pâte, en tournant pour enrober les deux côtés.

Sur une plaque chauffante ou une grande poêle, chauffer une fine couche d'huile à feu moyen. Placer le pain doré sur la plaque chauffante et cuire jusqu'à ce qu'il soit doré des deux côtés, en les retournant une fois, 3 à 4 minutes de chaque côté.

Transférer le pain doré cuit dans un plat résistant à la chaleur et garder au chaud au four pendant la cuisson du reste.

34. Tartinade déjeuner au sésame et au soja

Donne environ 1 tasse

$^1/2$ tasse de tofu mou, égoutté et épongé
2 cuillères à soupe de tahini (pâte de sésame)
2 cuillères à soupe de levure nutritionnelle
1 cuillère à soupe de jus de citron frais
2 cuillères à café d'huile de lin
1 cuillère à café d'huile de sésame grillé
^{1}1/2 cuillère à café de sel

Dans un mélangeur ou un robot culinaire, mélanger tous
les ingrédients et mélanger jusqu'à consistance lisse.
Grattez le mélange dans un petit bol, couvrez et réfrigérez
pendant plusieurs heures pour approfondir la saveur.
Correctement stocké, il se conservera jusqu'à 3 jours.

35. Radiatore avec sauce Aurora

Donne 4 portions

- 1 cuillère à soupe d'huile d'olive
- 3 gousses d'ail émincées
- 3 oignons verts, émincés
- (28 onces) boîte de tomates concassées
- 1 cuillère à café de basilic séché
- ½ cuillère à café de marjolaine séchée
- 1 cuillère à café de sel

- ¼ cuillère à café de poivre noir fraîchement moulu
- ⅓ tasse de fromage à la crème végétalien ou de tofu mou égoutté
- 1 livre de radiatore ou d'autres petites pâtes en forme
- 2 cuillères à soupe de persil frais haché, pour la garniture

Dans une grande casserole, chauffer l'huile à feu moyen. Ajouter l'ail et les oignons verts et cuire jusqu'à ce qu'ils soient parfumés, 1 minute. Incorporer les tomates, le basilic, la marjolaine, le sel et le poivre. Porter la sauce à ébullition, puis réduire le feu à doux et laisser mijoter 15 minutes en remuant de temps en temps.

Au robot culinaire, mélanger le fromage à la crème jusqu'à consistance lisse. Ajouter 2 tasses de sauce tomate et mélanger jusqu'à consistance lisse. Racler le mélange tofu-tomate dans la casserole avec la sauce tomate, en remuant pour mélanger. Goûter en ajustant les assaisonnements si nécessaire. Gardez au chaud à feu doux.

Dans une grande casserole d'eau bouillante salée, cuire les pâtes à feu moyen-vif, en remuant de temps en temps, jusqu'à ce qu'elles soient al dente, environ 10 minutes. Bien égoutter et transférer dans un grand bol de service. Ajouter la sauce et mélanger doucement pour combiner. Saupoudrer de persil et servir immédiatement.

36. Lasagne classique au tofu

Donne 6 portions

- 12 onces de nouilles à lasagne
- 1 livre de tofu ferme, égoutté et émietté
- 1 livre de tofu mou, égoutté et émietté
- 2 cuillères à soupe de levure nutritionnelle
- 1 cuillère à café de jus de citron frais
- 1 cuillère à café de sel
- $^1\!/4$ cuillère à café de poivre noir fraîchement moulu

- 3 cuillères à soupe de persil frais haché
- ½ tasse de parmesan végétalien ouParmasio
- 4 tasses de sauce marinara, maison (voir Sauce marinara) ou acheté en magasin

Dans une casserole d'eau bouillante salée, cuire les nouilles à feu moyen-vif, en remuant de temps en temps jusqu'à ce qu'elles soient al dente, environ 7 minutes. Préchauffer le four à 350 ° F. Dans un grand bol, mélanger le tofus ferme et mou. Ajouter la levure nutritionnelle, le jus de citron, le sel, le poivre, le persil et 1/4 tasse de parmesan. Mélangez jusqu'à ce que le tout soit bien mélangé.

Déposer une couche de sauce tomate dans le fond d'un plat allant au four de 9 x 13 pouces. Garnir d'une couche de nouilles cuites. Répartir uniformément la moitié du mélange de tofu sur les nouilles. Répétez avec une autre couche de nouilles suivie d'une couche de sauce. Étalez le reste du mélange de tofu sur la sauce et terminez par une dernière couche de nouilles et de sauce. Saupoudrer du quart de tasse de parmesan restant. S'il reste de la sauce, conservez-la et servez-la chaude dans un bol avec les lasagnes.

Couvrir de papier d'aluminium et cuire au four pendant 45 minutes. Retirer le couvercle et cuire 10 minutes de plus. Laisser reposer 10 minutes avant de servir.

37. Lasagne aux bettes rouges et aux épinards

Donne 6 portions

- 12 onces de nouilles à lasagne
- 1 cuillère à soupe d'huile d'olive
- 2 gousses d'ail émincées
- 8 onces de blettes rouges fraîches, tiges dures enlevées et hachées grossièrement
- 9 onces de jeunes épinards frais, hachés grossièrement
- 1 livre de tofu ferme, égoutté et émietté
- 1 livre de tofu mou, égoutté et émietté
- 2 cuillères à soupe de levure nutritionnelle
- 1 cuillère à café de jus de citron frais
- 2 cuillères à soupe de persil plat frais haché
- 1 cuillère à café de sel
- ¼ cuillère à café de poivre noir fraîchement moulu

- 31/2 tasses de sauce marinara, maison ou du commerce

Dans une casserole d'eau bouillante salée, cuire les nouilles à feu moyen-vif, en remuant de temps en temps jusqu'à ce qu'elles soient al dente, environ 7 minutes. Préchauffer le four à 350 ° F.

Dans une grande casserole, chauffer l'huile à feu moyen. Ajouter l'ail et cuire jusqu'à ce qu'il soit parfumé. Ajouter les blettes et cuire en remuant jusqu'à ce qu'elles soient fanées, environ 5 minutes. Ajouter les épinards et poursuivre la cuisson en remuant jusqu'à ce qu'ils soient fanés, environ 5 minutes de plus. Couvrir et cuire jusqu'à tendreté, environ 3 minutes. Découvrir et laisser refroidir. Lorsqu'ils sont suffisamment froids pour être manipulés, évacuez toute trace d'humidité des légumes verts, en les pressant contre eux avec une grande cuillère pour éliminer tout excès de liquide. Placez les légumes verts dans un grand bol. Ajouter le tofu, la levure nutritionnelle, le jus de citron, le persil, le sel et le poivre. Mélanger jusqu'à ce que le tout soit bien mélangé.

Déposer une couche de sauce tomate dans le fond d'un plat allant au four de 9 x 13 pouces. Garnir d'une couche de nouilles. Répartir uniformément la moitié du mélange de tofu sur les nouilles. Répétez avec une autre couche de nouilles et une couche de sauce. Étalez le reste du mélange de tofu sur la sauce et terminez par une dernière couche de nouilles, de sauce et garnissez de parmesan.

Couvrir de papier d'aluminium et cuire au four pendant 45 minutes. Retirer le couvercle et cuire 10 minutes de plus. Laisser reposer 10 minutes avant de servir.

38. Lasagne aux légumes grillés

Donne 6 portions

- 1 courgette moyenne, coupée en tranches de 1/4 de pouce
- 1 aubergine moyenne, coupée en tranches de 1/4 de pouce
- 1 poivron rouge moyen, coupé en dés
- 2 cuillères à soupe d'huile d'olive
- Sel et poivre noir fraîchement moulu
- 8 onces de nouilles à lasagne

- 1 livre de tofu ferme, égoutté, épongé et émietté
- 1 livre de tofu mou, égoutté, épongé et émietté
- 2 cuillères à soupe de levure nutritionnelle
- 2 cuillères à soupe de persil plat frais haché
- 31/2 tasses de sauce marinara, maison (voirSauce marinara) ou acheté en magasin

Préchauffer le four à 425 ° F. Étalez les courgettes, l'aubergine et le poivron sur un plat de cuisson de 9 x 13 pouces légèrement huilé. Arroser d'huile et assaisonner de sel et de poivre noir au goût. Rôtir les légumes jusqu'à ce qu'ils soient tendres et légèrement dorés, environ 20 minutes. Sortez du four et laissez refroidir. Abaissez la température du four à 350 ° F.

Dans une casserole d'eau bouillante salée, cuire les nouilles à feu moyen-vif, en remuant de temps en temps jusqu'à ce qu'elles soient al dente, environ 7 minutes. Égoutter et réserver. Dans un grand bol, mélanger le tofu avec la levure nutritionnelle, le persil et le sel et le poivre au goût. Bien mélanger.

Pour assembler, étendre une couche de sauce tomate au fond d'un plat allant au four de 9 x 13 pouces. Garnir la sauce d'une couche de nouilles. Garnir les nouilles de la moitié des légumes rôtis puis étendre la moitié du mélange de tofu sur les légumes. Répétez avec une autre couche de nouilles et garnissez de sauce. Répétez le processus de superposition avec le reste des légumes et le mélange de tofu, en terminant par une couche de nouilles et de sauce. Saupoudrer de parmesan sur le dessus.

Couvrir et cuire au four 45 minutes. Retirer le couvercle et cuire encore 10 minutes. Retirer du four et laisser reposer 10 minutes avant de couper.

39. Lasagne aux radicchio et champignons

Donne 6 portions

- 1 cuillère à soupe d'huile d'olive
- 2 gousses d'ail émincées
- 1 petite tête de radicchio, râpée
- 8 onces de champignons cremini, légèrement rincés, essuyés et tranchés finement
- Sel et poivre noir fraîchement moulu
- 8 onces de nouilles à lasagne
- 1 livre de tofu ferme, égoutté, épongé et émietté
- 1 livre de tofu mou, égoutté, épongé et émietté
- 3 cuillères à soupe de levure nutritionnelle

- 2 cuillères à soupe de persil frais haché
- 3 tasses de sauce marinara, maison (voir Sauce marinara) ou acheté en magasin

Dans une grande poêle, chauffer l'huile à feu moyen. Ajouter l'ail, le radicchio et les champignons. Couvrir et cuire, en remuant de temps en temps, jusqu'à tendreté, environ 10 minutes. Assaisonner de sel et de poivre au goût et réserver

Dans une casserole d'eau bouillante salée, cuire les nouilles à feu moyen-vif, en remuant de temps en temps jusqu'à ce qu'elles soient al dente, environ 7 minutes. Égoutter et réserver. Préchauffer le four à 350 ° F.

Dans un grand bol, mélanger le tofu ferme et tendre. Ajouter la levure nutritionnelle et le persil et mélanger jusqu'à ce que le tout soit bien mélangé. Incorporer le mélange de radicchio et de champignons et assaisonner de sel et de poivre au goût.

Déposer une couche de sauce tomate dans le fond d'un plat allant au four de 9 x 13 pouces. Garnir d'une couche de nouilles. Répartir uniformément la moitié du mélange de tofu sur les nouilles. Répétez avec une autre couche de nouilles suivie d'une couche de sauce. Étalez le reste du mélange de tofu sur le dessus et terminez par une dernière couche de nouilles et de sauce. Saupoudrez le dessus de noix moulues.

Couvrir de papier d'aluminium et cuire au four pendant 45 minutes. Retirer le couvercle et cuire 10 minutes de plus. Laisser reposer 10 minutes avant de servir.

40. Lasagne primavera

Donne 6 à 8 portions

- 8 onces de nouilles à lasagne
- 2 cuillères à soupe d'huile d'olive
- 1 petit oignon jaune, haché
- 3 gousses d'ail émincées
- 6 onces de tofu soyeux, égoutté
- 3 tasses de lait de soja nature non sucré
- 3 cuillères à soupe de levure nutritionnelle
- $\frac{1}{8}$ cuillère à café de muscade moulue
- Sel et poivre noir fraîchement moulu
- 2 tasses de fleurons de brocoli hachés
- 2 carottes moyennes, émincées

- 1 petite courgette, coupée en deux ou en quatre dans le sens de la longueur et coupée en tranches de 1/4 de pouce
- 1 poivron rouge moyen, haché
- 2 livres de tofu ferme, égoutté et épongé
- 2 cuillères à soupe de persil plat frais haché
- 1/2 tasse de parmesan végétalien ouParmasio
- 1/2 tasse d'amandes moulues ou de pignons de pin

Préchauffer le four à 350 ° F. Dans une casserole d'eau bouillante salée, cuire les nouilles à feu moyen-vif, en remuant de temps en temps jusqu'à ce qu'elles soient al dente, environ 7 minutes. Égoutter et réserver.

Dans une petite poêle, chauffer l'huile à feu moyen. Ajouter l'oignon et l'ail, couvrir et cuire jusqu'à ce qu'ils soient tendres, environ 5 minutes. Transférer le mélange d'oignon dans un mélangeur. Ajouter le tofu soyeux, le lait de soja, la levure nutritionnelle, la muscade et le sel et le poivre au goût. Mélanger jusqu'à consistance lisse et réserver.

Cuire à la vapeur le brocoli, les carottes, les courgettes et le poivron jusqu'à ce qu'ils soient tendres. Retirer du feu. Émiettez le tofu ferme dans un grand bol. Ajouter le persil et 1/4 tasse de parmesan et assaisonner de sel et de poivre au goût. Mélangez jusqu'à ce que le tout soit bien mélangé. Incorporer les légumes cuits à la vapeur et bien mélanger, en ajoutant plus de sel et de poivre, si nécessaire.

Déposer une couche de sauce blanche dans le fond d'un plat de cuisson de 9 x 13 pouces légèrement huilé. Garnir d'une couche de nouilles. Répartir uniformément la moitié du mélange de tofu et de légumes sur les nouilles.

Répétez avec une autre couche de nouilles, suivie d'une couche de sauce. Étalez le reste du mélange de tofu sur le dessus et terminez par une dernière couche de nouilles et de sauce, en terminant par le quart de tasse de parmesan restant.Couvrir de papier d'aluminium et cuire au four pendant 45 minutes.

41. Lasagne aux haricots noirs et à la citrouille

Donne 6 à 8 portions

- 12 nouilles lasagnes
- 1 cuillère à soupe d'huile d'olive
- 1 oignon jaune moyen, haché
- 1 poivron rouge moyen, haché
- 2 gousses d'ail émincées
- 1 1/2 tasse cuit ou 1 boîte (15,5 onces) de haricots noirs, égouttés et rincés
- (14,5 onces) peuvent tomates concassées
- 2 cuillères à café de poudre de chili
- Sel et poivre noir fraîchement moulu
- 1 livre de tofu ferme, bien égoutté
- 3 cuillères à soupe de persil frais haché ou de coriandre
- 1 boîte (16 onces) de purée de citrouille
- 3 tasses de salsa aux tomates, maison (voir Salsa aux tomates fraîches) ou acheté en magasin

Dans une casserole d'eau bouillante salée, cuire les nouilles à feu moyen-vif, en remuant de temps en temps jusqu'à ce qu'elles soient al dente, environ 7 minutes. Égoutter et réserver. Préchauffer le four à 375 ° F.

Dans une grande poêle, chauffer l'huile à feu moyen. Ajouter l'oignon, couvrir et cuire jusqu'à ce qu'il soit ramolli. Ajouter le poivron et l'ail et cuire jusqu'à ce qu'ils soient ramollis, 5 minutes de plus. Incorporer les haricots, les tomates, 1 cuillère à café de poudre de chili et le sel et le poivre noir au goût. Mélangez bien et mettez de côté.

Dans un grand bol, mélanger le tofu, le persil, la 1 cuillère à café de chili en poudre restante et le sel et le poivre noir au goût. Mettre de côté. Dans un bol moyen, mélanger la citrouille avec la salsa et remuer pour bien mélanger. Assaisonnez avec du sel et du poivre selon votre goût.

Étalez environ ¾ tasse du mélange de citrouille au fond d'un plat allant au four de 9 x 13 pouces. Garnir de 4 des nouilles. Garnir de la moitié du mélange de haricots, puis de la moitié du mélange de tofu. Garnir de quatre des nouilles, suivi d'une couche du mélange de citrouille, puis du mélange de haricots restant, surmonté des nouilles restantes. Étalez le reste du mélange de tofu sur les nouilles, suivi du reste du mélange de citrouille, en l'étalant sur les bords de la casserole.

Couvrir de papier d'aluminium et cuire au four jusqu'à ce qu'il soit chaud et bouillonnant, environ 50 minutes. Découvrir, saupoudrer de graines de citrouille et laisser reposer 10 minutes avant de servir.

42. Manicotti farci aux blettes

Donne 4 portions

- 12 manicotti
- 3 cuillères à soupe d'huile d'olive
- 1 petit oignon émincé
- 1 bouquet moyen de blettes, tiges dures coupées et hachées
- 1 livre de tofu ferme, égoutté et émietté
- Sel et poivre noir fraîchement moulu
- 1 tasse de noix de cajou crues

- 3 tasses de lait de soja nature non sucré
- ⅛ cuillère à café de muscade moulue
- ⅛ cuillère à café de poivre de Cayenne moulu
- 1 tasse de chapelure sèche non assaisonnée

Préchauffer le four à 350 ° F. Huiler légèrement un plat allant au four de 9 x 13 pouces et réserver.

Dans une casserole d'eau bouillante salée, cuire les manicotti à feu moyen-vif, en remuant de temps en temps, jusqu'à ce qu'ils soient al dente, environ 8 minutes. Bien égoutter et passer sous l'eau froide. Mettre de côté.

Dans une grande poêle, chauffer 1 cuillère à soupe d'huile à feu moyen. Ajouter l'oignon, couvrir et cuire jusqu'à ce qu'il ramollisse environ 5 minutes. Ajouter les blettes, couvrir et cuire jusqu'à ce que les blettes soient tendres, en remuant de temps en temps, environ 10 minutes. Retirer du feu et ajouter le tofu en remuant pour bien mélanger. Bien assaisonner avec du sel et du poivre au goût et réserver.

Dans un mélangeur ou un robot culinaire, broyer les noix de cajou en poudre. Ajouter 1½ tasse de lait de soja, la muscade, le poivre de Cayenne et le sel au goût. Mélanger jusqu'à consistance lisse. Ajouter les 1½ tasse de lait de soja restantes et mélanger jusqu'à consistance crémeuse. Goûter en ajustant les assaisonnements si nécessaire.

Étalez une couche de sauce au fond du plat de cuisson préparé. Emballez environ 1/3 tasse de farce de blettes dans les manicotti. Disposer les manicotti farcis en une seule couche dans le plat de cuisson. Verser le reste de la sauce sur les manicotti. Dans un petit bol, mélanger la chapelure et les 2 cuillères à soupe d'huile restantes et saupoudrer sur les manicotti. Couvrir de papier d'aluminium et cuire au four jusqu'à ce qu'il soit chaud et bouillonnant, environ 30 minutes. Sers immédiatement.

43. Manicotti aux épinards

Donne 4 portions

- 12 manicotti
- 1 cuillère à soupe d'huile d'olive
- 2 échalotes moyennes, hachées
- 2 paquets (10 onces) d'épinards hachés surgelés, décongelés
- 1 livre de tofu extra-ferme, égoutté et émietté
- ¼ cuillère à café de muscade moulue
- Sel et poivre noir fraîchement moulu
- 1 tasse de morceaux de noix grillées
- 1 tasse de tofu mou, égoutté et émietté
- ¼ tasse de levure nutritionnelle
- 2 tasses de lait de soja nature non sucré

- 1 tasse de chapelure sèche

Préchauffer le four à 350 ° F. Huiler légèrement un plat de cuisson de 9 x 13 pouces. Dans une casserole d'eau bouillante salée, cuire les manicotti à feu moyen-vif, en remuant de temps en temps, jusqu'à ce qu'ils soient al dente, environ 10 minutes. Bien égoutter et passer sous l'eau froide. Mettre de côté.

Dans une grande poêle, chauffer l'huile à feu moyen. Ajouter les échalotes et cuire jusqu'à ce qu'elles soient ramollies, environ 5 minutes. Pressez les épinards pour enlever le plus de liquide possible et ajoutez-les aux échalotes. Assaisonner de muscade, sel et poivre au goût et cuire 5 minutes en remuant pour mélanger les saveurs. Ajouter le tofu extra-ferme et bien mélanger. Mettre de côté.

Au robot culinaire, traitez les noix jusqu'à ce qu'elles soient finement moulues. Ajouter le tofu mou, la levure nutritionnelle, le lait de soja et le sel et le poivre au goût. Traitez jusqu'à consistance lisse.

Étalez une couche de sauce aux noix sur le fond du plat de cuisson préparé. Remplissez les manicotti avec la farce. Disposer les manicotti farcis en une seule couche dans le plat de cuisson. Versez le reste de la sauce sur le dessus. Couvrir de papier d'aluminium et cuire au four jusqu'à ce qu'il soit chaud, environ 30 minutes. Découvrir, saupoudrer de chapelure et cuire encore 10 minutes pour faire légèrement dorer le dessus. Sers immédiatement.

44. Rouleaux de lasagnes

Donne 4 portions

- 12 nouilles lasagnes
- 4 tasses d'épinards frais légèrement tassés
- 1 tasse de haricots blancs cuits ou en conserve, égouttés et rincés
- 1 livre de tofu ferme, égoutté et épongé
- $1 1/2$ cuillère à café de sel
- $1/4$ cuillère à café de poivre noir fraîchement moulu
- $1/8$ cuillère à café de muscade moulue
- 3 tasses de sauce marinara, maison (voir Sauce marinara) ou acheté en magasin

Préchauffer le four à 350 ° F. Dans une casserole d'eau bouillante salée, cuire les nouilles à feu moyen-vif, en remuant de temps en temps, jusqu'à ce qu'elles soient al dente, environ 7 minutes.

Placez les épinards dans un plat allant au micro-ondes avec 1 cuillère à soupe d'eau. Couvrir et cuire au micro-ondes pendant 1 minute jusqu'à ce qu'ils soient fanés. Retirer du bol, presser tout liquide restant. Transférer les épinards dans un robot culinaire et les hacher par impulsions. Ajouter les haricots, le tofu, le sel et le poivre et mélanger jusqu'à ce que le tout soit bien mélangé. Mettre de côté.

Pour assembler les moulins à vent, posez les nouilles sur une surface de travail plane. Étalez environ 3 cuillères à soupe de mélange tofu-épinards sur la surface de chaque nouille et roulez. Répétez avec le reste des ingrédients. Étalez une couche de sauce tomate au fond d'une cocotte peu profonde. Placez les rouleaux à la verticale sur le dessus de la sauce et versez un peu du reste de la sauce sur chaque moulinet. Couvrir de papier d'aluminium et cuire 30 minutes. Sers immédiatement.

45. Raviolis à la citrouille et petits pois

Donne 4 portions

- 1 tasse de purée de citrouille en conserve
- ½ tasse de tofu extra-ferme, bien égoutté et émietté
- 2 cuillères à soupe de persil frais haché
- Une pincée de muscade moulue

- Sel et poivre noir fraîchement moulu
- 1 recette Pâte à pâtes sans œufs
- 2 ou 3 échalotes moyennes, coupées en deux dans le sens de la longueur et coupées en tranches de 1⁄4 de pouce
- 1 tasse de petits pois surgelés, décongelés

Utilisez une serviette en papier pour éponger l'excès de liquide de la citrouille et du tofu, puis mélanger dans un robot culinaire avec la levure nutritionnelle, le persil, la muscade et le sel et le poivre au goût. Mettre de côté.

Pour faire les raviolis, étalez la pâte finement sur une surface légèrement farinée. Couper la pâte en

Bandes de 2 pouces de large. Placer 1 cuillère à café de farce sur 1 bande de pâtes, à environ 1 pouce du haut. Placez une autre cuillerée à café de garniture sur la bande de pâtes, environ un pouce en dessous de la première cuillerée de garniture. Répétez sur toute la longueur de la bande de pâte. Mouiller légèrement les bords de la pâte avec de l'eau et placer une deuxième bande de pâtes sur la première, en recouvrant la garniture. Presser les deux couches de pâte ensemble entre les portions de garniture. Utilisez un couteau pour couper les côtés de la pâte pour la rendre droite, puis coupez la pâte entre chaque monticule de garniture pour faire des raviolis carrés. Assurez-vous de presser les poches d'air autour du remplissage avant de sceller. Utilisez les dents d'une fourchette pour presser le long des bords de la pâte pour sceller les raviolis. Transférer les raviolis dans une assiette farinée et répéter avec le reste de la pâte et de la sauce. Mettre de côté.

Dans une grande poêle, chauffer l'huile à feu moyen. Ajouter les échalotes et cuire, en remuant de temps en temps, jusqu'à ce que les échalotes soient bien dorées mais non brûlées, environ 15 minutes. Incorporer les pois et assaisonner de sel et de poivre au goût. Gardez au chaud à feu très doux.

Dans une grande casserole d'eau bouillante salée, cuire les raviolis jusqu'à ce qu'ils flottent vers le haut, environ 5 minutes. Bien égoutter et transférer dans la poêle avec les échalotes et les petits pois. Cuire pendant une minute ou deux pour mélanger les saveurs, puis transférer dans un grand bol de service. Assaisonner avec beaucoup de poivre et servir immédiatement.

46. Raviolis aux artichauts et aux noix

Donne 4 portions

- ⅓ tasse plus 2 cuillères à soupe d'huile d'olive
- 3 gousses d'ail émincées
- 1 paquet (10 onces) d'épinards surgelés, décongelés et essorés
- 1 tasse de cœurs d'artichaut surgelés, décongelés et hachés
- ⅓ tasse de tofu ferme, égoutté et émietté
- 1 tasse de morceaux de noix grillées
- ¼ tasse de persil frais bien tassé
- Sel et poivre noir fraîchement moulu
- 1 recette Pâte à pâtes sans œufs
- 12 feuilles de sauge fraîche

Dans une grande poêle, chauffer 2 cuillères à soupe d'huile à feu moyen. Ajouter l'ail, les épinards et les cœurs d'artichaut. Couvrir et cuire jusqu'à ce que l'ail soit tendre et que le liquide soit absorbé, environ 3 minutes, en remuant de temps en temps. Transférer le mélange dans un robot culinaire. Ajoutez le tofu, 1⁄4 de tasse de noix, le persil, salez et poivrez au goût. Mélanger jusqu'à ce que le tout soit haché et bien mélangé.

Mettez de côté pour refroidir.

Pour faire les raviolis, abaissez la pâte très finement (environ 1⁄8 de pouce) sur une surface légèrement farinée et coupez-la en lanières de 2 pouces de large. Placer 1 cuillère à café de farce sur une bande de pâtes, à environ 1 pouce du haut. Placez une autre cuillerée à café de garniture sur la bande de pâtes, à environ 1 pouce sous la première cuillerée de garniture. Répétez sur toute la longueur de la bande de pâte.

Mouiller légèrement les bords de la pâte avec de l'eau et placer une deuxième bande de pâtes sur la première, en recouvrant la garniture.

Presser les deux couches de pâte ensemble entre les portions de garniture. Utilisez un couteau pour couper les côtés de la pâte pour la rendre droite, puis coupez la pâte entre chaque monticule de garniture pour faire des raviolis carrés. Utilisez les dents d'une fourchette pour presser le long des bords de la pâte pour sceller les raviolis. Transférer les raviolis dans une assiette farinée et répéter avec le reste de la pâte et la garniture.

Cuire les raviolis dans une grande casserole d'eau bouillante salée jusqu'à ce qu'ils flottent vers le haut, environ 7 minutes. Bien égoutter et mettre de côté. Dans une grande poêle, chauffer 1/3 tasse d'huile restante à feu moyen. Ajouter la sauge et les ¾ tasse de noix restantes et cuire jusqu'à ce que la sauge devienne croustillante et que les noix deviennent parfumées.

Ajouter les raviolis cuits et cuire en remuant doucement pour les enrober de sauce et faire chauffer. Sers immédiatement.

47. Tortellini à la sauce à l'orange

Donne 4 portions

- 1 cuillère à soupe d'huile d'olive
- 3 gousses d'ail finement émincées
- 1 tasse de tofu ferme, égoutté et émietté
- ¾ tasse de persil frais haché
- ¼ tasse de parmesan végétalien ouParmasio
- Sel et poivre noir fraîchement moulu
- 1 recette Pâte à pâtes sans œufs
- 21/2 tasses de sauce marinara, maison (voirSauce marinara) ou le zeste d'une orange du commerce
- ½ cuillère à café de poivron rouge écrasé

- ½ tasse de crème de soja ou de lait de soja nature non sucré

Dans une grande poêle, chauffer l'huile à feu moyen. Ajouter l'ail et cuire jusqu'à ce qu'il soit tendre, environ 1 minute. Incorporer le tofu, le persil, le parmesan et le sel et le poivre noir au goût. Mélanger jusqu'à homogénéité. Mettez de côté pour refroidir.

Pour faire les tortellini, abaissez la pâte finement (environ 1/8 de pouce) et coupez-la en carrés de 2 1/2 pouces. Endroit

1 cuillère à café de farce juste décentré et repliez un coin du carré de pâtes sur la farce pour former un triangle. Appuyez sur les bords pour sceller, puis enroulez le triangle, point central vers le bas, autour de votre index, en pressant les extrémités ensemble pour qu'elles collent. Repliez la pointe du triangle et faites glisser votre doigt. Réserver sur une assiette légèrement farinée et continuer avec le reste de la pâte et la garniture.

Dans une grande casserole, mélanger la sauce marinara, le zeste d'orange et le poivron rouge broyé. Chauffer jusqu'à ce qu'il soit chaud, puis incorporer la crème de soya et garder au chaud à feu très doux.

Dans une casserole d'eau bouillante salée, cuire les tortellini jusqu'à ce qu'ils flottent vers le haut, environ 5 minutes. Bien égoutter et transférer dans un grand bol de service. Ajouter la sauce et mélanger doucement pour combiner. Sers immédiatement.

48. Légumes Lo Mein Au Tofu

Donne 4 portions

- 12 onces de linguine
- 1 cuillère à soupe d'huile de sésame grillé
- 3 cuillères à soupe de sauce soja
- 2 cuillères à soupe de xérès sec
- 1 cuillère à soupe d'eau
- Une pincée de sucre
- 1 cuillère à soupe de fécule de maïs

- 2 cuillères à soupe d'huile de canola ou de pépins de raisin
- 1 livre de tofu extra-ferme, égoutté et coupé en dés
- 1 oignon moyen, coupé en deux et tranché finement
- 3 tasses de petits fleurons de brocoli
- 1 carotte moyenne, coupée en tranches de 1/4 de pouce
- 1 tasse de shiitake frais ou de champignons blancs tranchés
- 2 gousses d'ail émincées
- 2 cuillères à café de gingembre frais râpé
- 2 oignons verts, hachés

Dans une grande casserole d'eau bouillante salée, cuire les linguine, en remuant de temps en temps, jusqu'à ce qu'elles soient tendres, environ 10 minutes. Bien égoutter et transférer dans un bol. Ajouter 1 cuillère à café d'huile de sésame et mélanger pour enrober. Mettre de côté.

Dans un petit bol, mélanger la sauce soja, le xérès, l'eau, le sucre et les 2 cuillères à café d'huile de sésame restantes. Ajouter la fécule de maïs et remuer pour dissoudre. Mettre de côté.

Dans une grande poêle ou un wok, chauffer 1 cuillère à soupe de canola à feu moyen-vif. Ajouter le tofu et cuire jusqu'à ce qu'il soit doré, environ 10 minutes. Retirer de la poêle et réserver.

Réchauffez l'huile de canola restante dans la même poêle. Ajouter l'oignon, le brocoli et la carotte et faire sauter jusqu'à ce qu'ils soient tout juste tendres, environ 7 minutes. Ajouter les champignons, l'ail, le gingembre et les oignons verts et faire sauter pendant 2 minutes.

Incorporer la sauce et les linguine cuits et mélanger pour bien mélanger. Cuire jusqu'à ce que le tout soit bien chaud. Goûtez, ajustez les assaisonnements et ajoutez plus de sauce soja si nécessaire. Sers immédiatement.

49. Pad thaï

Donne 4 portions

- 12 onces de nouilles de riz séchées
- $1/3$ tasse de sauce soja
- 2 cuillères à soupe de jus de citron vert frais
- 2 cuillères à soupe de sucre brun clair
- 1 cuillère à soupe de pâte de tamarin (voir note de tête)
- 1 cuillère à soupe de concentré de tomate
- 3 cuillères à soupe d'eau
- $1/2$ cuillère à café de poivron rouge écrasé
- 3 cuillères à soupe d'huile de canola ou de pépins de raisin
- 1 livre de tofu extra-ferme, égoutté, pressé (voir Tofu), et coupé en dés de 1/2 pouce

- 4 oignons verts, émincés
- 2 gousses d'ail émincées
- ⅓ tasse d'arachides non salées rôties à sec, hachées grossièrement
- 1 tasse de germes de soja, pour la garniture
- 1 lime, coupée en quartiers, pour la garniture

Faites tremper les nouilles dans un grand bol d'eau chaude jusqu'à ce qu'elles soient ramollies, 5 à 15 minutes, selon l'épaisseur des nouilles. Bien égoutter et rincer à l'eau froide. Transférer les nouilles égouttées dans un grand bol et réserver.

Dans un petit bol, mélanger la sauce soja, le jus de lime, le sucre, la pâte de tamarin, la pâte de tomate, l'eau et le poivron rouge écrasé. Remuer pour bien mélanger et réserver.

Dans une grande poêle ou un wok, chauffer 2 cuillères à soupe d'huile à feu moyen. Ajouter le tofu et faire sauter jusqu'à ce qu'il soit doré, environ 5 minutes. Transférer dans un plat et réserver.

Dans la même poêle ou wok, chauffer 1 cuillère à soupe d'huile restante à feu moyen. Ajouter l'oignon et faire sauter 1 minute. Ajouter les oignons verts et l'ail, faire sauter pendant 30 secondes, puis ajouter le tofu cuit et cuire environ 5 minutes, en remuant de temps en temps, jusqu'à ce qu'il soit doré. Ajouter les nouilles cuites et mélanger pour combiner et faire chauffer.

Incorporer la sauce et cuire, en remuant pour enrober, en ajoutant un peu ou deux d'eau supplémentaire, si nécessaire, pour éviter de coller. Lorsque les nouilles sont chaudes et tendres, mettez-les sur un plat de service et parsemez d'arachides et de coriandre. Garnir de germes de soja et de quartiers de lime sur le côté du plat. Servir chaud.

50. Spaghettis ivres au tofu

Donne 4 portions

- 12 onces de spaghettis
- 3 cuillères à soupe de sauce soja
- 1 cuillère à soupe de sauce aux huîtres végétarienne (facultatif)
- 1 cuillère à café de sucre brun clair
- 8 onces de tofu extra-ferme, égoutté et pressé (voir Tofu)
- 2 cuillères à soupe d'huile de canola ou de pépins de raisin
- 1 oignon rouge moyen, tranché finement

- 1 poivron rouge moyen, tranché finement
- 1 tasse de pois mange-tout, parés
- 2 gousses d'ail émincées
- $\frac{1}{2}$ cuillère à café de poivron rouge écrasé
- 1 tasse de feuilles de basilic thaï frais

Dans une casserole d'eau bouillante salée, cuire les spaghettis à feu moyen-vif, en remuant de temps en temps, jusqu'à ce qu'ils soient al dente, environ 8 minutes. Bien égoutter et transférer dans un grand bol. Dans un petit bol, mélanger la sauce soya, la sauce aux huîtres, le cas échéant, et le sucre. Bien mélanger, puis verser sur les spaghettis réservés, en remuant pour enrober. Mettre de côté.

Coupez le tofu en lanières de 1⁄2 pouce. Dans une grande poêle ou un wok, chauffer 1 cuillère à soupe d'huile à feu moyen-vif. Ajouter le tofu et cuire jusqu'à ce qu'il soit doré, environ 5 minutes. Retirer de la poêle et réserver.

Remettre la poêle sur le feu et ajouter la 1 cuillère à soupe d'huile de canola restante. Ajouter l'oignon, le poivron, les pois mange-tout, l'ail et le poivron rouge écrasé. Faire sauter jusqu'à ce que les légumes soient juste tendres, environ 5 minutes. Ajouter les spaghettis cuits et le mélange de sauce, le tofu cuit et le basilic et faire sauter jusqu'à ce qu'ils soient chauds, environ 4 minutes.

CONCLUSION

Les bienfaits du tofu pour la santé sont considérables. Il est sans gluten et faible en calories. Il peut réduire le «mauvais» cholestérol et il contient également des isoflavones comme les phytoestrogènes. Les isoflavones peuvent avoir à la fois des propriétés œstrogéno-agonistes ou œstrogéniques. Ceux-ci peuvent aider à protéger contre certains cancers, maladies cardiaques et ostéoporose. Cependant, la surconsommation peut également présenter certains risques.

Si vous recherchez des saveurs audacieuses dans vos recettes, le tofu est votre choix de protéines idéal. Cependant, faites toujours attention au type de tofu, car les variétés fermes et extra fermes sont les meilleures pour faire sauter et griller, tandis que le soyeux est le meilleur pour les soupes ou les trempettes. Pour faire sauter le tofu pour un sauté, vous devez d'abord égoutter et presser tout excès d'eau, ce qui l'empêche de se désagréger pendant la cuisson. Vous pouvez même faire croustiller votre tofu en le jetant dans de la fécule de maïs (pas besoin de frire).

TEMPEH
&

SEITAN RECETTES POUR LES VÉGÉTALIENS

50 RECETTES SANTÉ

MICHELLE DANEY

INTRODUCTION

Le tempeh et le seitan sont largement utilisés dans les cercles végétariens, végétaliens, complets et macrobiotiques.

Le tempeh est un produit de soja javanais traditionnel fabriqué à partir de graines de soja fermentées. Il est fabriqué selon un processus de culture naturelle et de fermentation contrôlée qui lie les graines de soja sous forme de tourteau. Un champignon est utilisé dans le processus de fermentation et est également connu sous le nom de démarreur de tempeh.

Le tempeh a une texture charnue et ferme et absorbe très bien les saveurs, vous pouvez donc vraiment expérimenter différentes marinades, sauces et mélanges d'épices. ... Ce n'est pas seulement son goût, sa polyvalence et son profil nutritionnel qui font du tempeh une excellente source de protéines. C'est aussi une option beaucoup plus durable que la viande.

D'autre part, le seitan est un aliment à base de gluten, la principale protéine du blé. Il est fabriqué en lavant la pâte de farine de blé avec de l'eau jusqu'à ce que tous les granules d'amidon aient été éliminés, laissant le gluten insoluble collant sous forme de masse élastique, qui est ensuite cuite avant d'être consommée. Le seitan contient 72 grammes de protéines végétales par tasse, par conséquent, de nombreuses personnes suivant un régime végétalien choisissent de consommer la nourriture pour sa teneur élevée en protéines, son accessibilité et sa polyvalence. C'est aussi pourquoi de nombreux produits carnés végétariens et végétaliens sont à base de Seitan.

TEMPEH

1. Spaghetti à la carbonara

Donne 4 portions

- 2 cuillères à soupe d'huile d'olive
- 3 échalotes moyennes, émincées
- 4 onces de bacon tempeh, fait maison (voir Tempeh Bacon) ou du commerce, haché
- 1 tasse de lait de soja nature non sucré

- ½ tasse de tofu mou ou soyeux, égoutté
- ¼ tasse de levure nutritionnelle
- Sel et poivre noir fraîchement moulu
- 1 livre de spaghettis
- 3 cuillères à soupe de persil frais haché

Dans une grande poêle, chauffer l'huile à feu moyen. Ajouter les échalotes et cuire jusqu'à tendreté, environ 5 minutes. Ajouter le bacon tempeh et cuire, en remuant fréquemment, jusqu'à ce qu'il soit légèrement doré, environ 5 minutes. Mettre de côté.

Dans un mélangeur, mélanger le lait de soja, le tofu, la levure nutritionnelle et le sel et le poivre au goût. Mélanger jusqu'à consistance lisse. Mettre de côté.

Dans une grande casserole d'eau bouillante salée, cuire les spaghettis à feu moyen-vif, en remuant de temps en temps, jusqu'à ce qu'ils soient al dente, environ 10 minutes. Bien égoutter et transférer dans un grand bol de service. Ajouter le mélange de tofu, 1/4 de tasse de parmesan et tout sauf 2 cuillères à soupe du mélange de bacon tempeh.

Mélangez doucement pour combiner et goûter, en ajustant les assaisonnements si nécessaire, en ajoutant un peu plus de lait de soja s'il est trop sec. Garnir de plusieurs morceaux de poivre, du bacon tempeh restant, du parmesan restant et du persil. Sers immédiatement.

2. Sauté de tempeh et de légumes

Donne 4 portions

- 10 onces de tempeh
- Sel et poivre noir fraîchement moulu
- 2 cuillères à café de fécule de maïs
- 4 tasses de petits fleurons de brocoli
- 2 cuillères à soupe d'huile de canola ou de pépins de raisin
- 2 cuillères à soupe de sauce soja
- 2 cuillères à soupe d'eau
- 1 cuillère à soupe de mirin
- ½ cuillère à café de piment rouge écrasé
- 2 cuillères à café d'huile de sésame grillé
- 1 poivron rouge moyen, coupé en tranches de 1/2 pouce
- 6 onces de champignons blancs, légèrement rincés, épongés et coupés en tranches de 1/2 pouce
- 2 gousses d'ail émincées
- 3 cuillères à soupe d'oignons verts émincés

- 1 cuillère à café de gingembre frais râpé

Dans une casserole moyenne d'eau frémissante, cuire le tempeh pendant 30 minutes. Égouttez, séchez et laissez refroidir. Coupez le tempeh en cubes de 1/2 pouce et placez-le dans un bol peu profond. Assaisonner de sel et de poivre noir au goût, saupoudrer de fécule de maïs et mélanger pour enrober. Mettre de côté.

Cuire légèrement le brocoli à la vapeur jusqu'à ce qu'il soit presque tendre, environ 5 minutes. Passez sous l'eau froide pour arrêter le processus de cuisson et conserver la couleur vert vif. Mettre de côté.

Dans une grande poêle ou un wok, chauffer 1 cuillère à soupe d'huile de canola à feu moyen-vif. Ajouter le tempeh et faire sauter jusqu'à ce qu'il soit doré, environ 5 minutes. Retirer de la poêle et réserver.

Dans un petit bol, mélanger la sauce soja, l'eau, le mirin, le poivron rouge broyé et l'huile de sésame. Mettre de côté.

Réchauffer la même poêle à feu moyen-vif. Ajoutez la cuillère à soupe restante d'huile de canola. Ajouter le poivron et les champignons et faire sauter jusqu'à ce qu'ils soient ramollis, environ 3 minutes. Ajouter l'ail, les oignons verts et le gingembre et faire sauter 1 minute. Ajouter le brocoli cuit à la vapeur et le tempeh frit et faire sauter pendant 1 minute. Incorporer le mélange de sauce soja et faire sauter jusqu'à ce que le tempeh et les légumes soient chauds et bien enrobés de sauce. Sers immédiatement.

3. Teriyaki Tempeh

Donne 4 portions

- 1 livre de tempeh, coupé en tranches de 1/4 de pouce
- ¼ tasse de jus de citron frais
- 1 cuillère à café d'ail émincé
- 2 cuillères à soupe d'oignons verts émincés
- 2 cuillères à café de gingembre frais râpé
- 1 cuillère à soupe de sucre
- 2 cuillères à soupe d'huile de sésame grillé
- 1 cuillère à soupe de fécule de maïs
- 2 cuillères à soupe d'eau
- 2 cuillères à soupe d'huile de canola ou de pépins de raisin

Dans une casserole moyenne d'eau frémissante, cuire le tempeh pendant 30 minutes. Égoutter et placer dans un grand plat peu profond. Dans un petit bol, mélanger la sauce soya, le jus de citron, l'ail, les oignons verts, le gingembre, le sucre, l'huile de sésame, la fécule de maïs et l'eau. Bien mélanger, puis verser la marinade sur le tempeh cuit en la retournant pour enrober. Faites mariner le tempeh pendant 1 heure.

Dans une grande poêle, chauffer l'huile de canola à feu moyen. Retirer le tempeh de la marinade, réserver la marinade. Ajouter le tempeh dans la poêle chaude et cuire jusqu'à ce qu'il soit doré des deux côtés, environ 4 minutes de chaque côté. Ajouter la marinade réservée et laisser mijoter jusqu'à ce que le liquide épaississe, environ 8 minutes. Sers immédiatement.

4. Tempeh grillé

Donne 4 portions

- 1 livre de tempeh, coupé en barres de 2 pouces
- 2 cuillères à soupe d'huile d'olive
- 1 oignon moyen, émincé
- 1 poivron rouge moyen, émincé
- 2 gousses d'ail émincées
- (14,5 onces) peuvent tomates concassées
- 2 cuillères à soupe de mélasse noire
- 2 cuillères à soupe de vinaigre de cidre de pomme
- cuillère à soupe de sauce soja
- 2 cuillères à café de moutarde brune épicée
- 1 cuillère à soupe de sucre
- ^{1}1/2 cuillère à café de sel
- ¼ cuillère à café de piment de la Jamaïque moulu
- ¼ cuillère à café de poivre de Cayenne moulu

Dans une casserole moyenne d'eau frémissante, cuire le tempeh pendant 30 minutes. Égoutter et réserver.

Dans une grande casserole, chauffer 1 cuillère à soupe d'huile à feu moyen. Ajouter l'oignon, le poivron et l'ail. Couvrir et cuire jusqu'à ce qu'ils soient ramollis, environ 5 minutes. Incorporer les tomates, la mélasse, le vinaigre, la sauce soja, la moutarde, le sucre, le sel, le piment de la Jamaïque et le poivre de Cayenne et porter à ébullition. Réduire le feu à doux et laisser mijoter, à découvert, pendant 20 minutes.

Dans une grande poêle, chauffer 1 cuillère à soupe d'huile restante à feu moyen. Ajouter le tempeh et cuire jusqu'à ce qu'il soit doré, en le retournant une fois, environ 10 minutes. Ajoutez suffisamment de sauce pour bien enrober le tempeh. Couvrir et laisser mijoter pour mélanger les saveurs, environ 15 minutes. Sers immédiatement.

5. Tempeh à l'orange et au bourbon

Donne 4 à 6 portions

- 2 tasses d'eau
- ¹1/2 tasse de sauce soja
- tranches fines de gingembre frais
- 2 gousses d'ail, tranchées
- 1 livre de tempeh, coupé en fines tranches
- Sel et poivre noir fraîchement moulu
- ¼ tasse d'huile de canola ou de pépins de raisin
- 1 cuillère à soupe de sucre brun clair
- ⅛ cuillère à café de piment de la Jamaïque
- ⅓ tasse de jus d'orange frais
- ¼ tasse de bourbon ou 5 tranches d'orange, coupées en deux
- 1 cuillère à soupe de fécule de maïs mélangée à 2 cuillères à soupe d'eau

Dans une grande casserole, mélanger l'eau, la sauce soya, le gingembre, l'ail et le zeste d'orange. Placer le tempeh dans la marinade et porter à ébullition. Réduire le feu à doux et laisser mijoter 30 minutes. Retirer le tempeh de la marinade, réserver la marinade. Saupoudrer le tempeh de sel et de poivre au goût. Placez la farine dans un bol peu profond. Draguez le tempeh cuit dans la farine et réservez.

Dans une grande poêle, chauffer l'huile à feu moyen. Ajouter le tempeh, par lots si nécessaire, et cuire jusqu'à ce qu'il soit doré des deux côtés, environ 4 minutes de chaque côté. Incorporer graduellement la marinade réservée. Ajouter le sucre, le piment de la Jamaïque, le jus d'orange et le bourbon. Garnir le tempeh des tranches d'orange. Couvrir et laisser mijoter jusqu'à ce que la sauce soit sirupeuse et que les saveurs se mélangent, environ 20 minutes.

Utilisez une cuillère à trous ou une spatule pour retirer le tempeh de la casserole et le transférer dans un plat de service. Garder au chaud. Ajouter le mélange de fécule de maïs à la sauce et cuire en remuant pour épaissir. Réduire le feu à doux et laisser mijoter, à découvert, en remuant constamment, jusqu'à ce que la sauce épaississe. Versez la sauce sur le tempeh et servez aussitôt.

6. Tempeh et patates douces

Donne 4 portions

- 1 livre de tempeh
- 2 cuillères à soupe de sauce soja
- 1 cuillère à café de coriandre moulue
- ½ cuillère à café de curcuma
- 2 cuillères à soupe d'huile d'olive
- 3 grosses échalotes, hachées
- 1 ou 2 patates douces moyennes, pelées et coupées en dés de 1/2 pouce
- 2 cuillères à café de gingembre frais râpé
- 1 tasse de jus d'ananas
- 2 cuillères à café de sucre brun clair
- Jus de 1 citron vert

Dans une casserole moyenne d'eau frémissante, cuire le tempeh pendant 30 minutes. Transférez-le dans un bol peu profond. Ajouter 2 cuillères à soupe de sauce soja, de coriandre et de curcuma, en remuant pour enrober. Mettre de côté.

Dans une grande poêle, chauffer 1 cuillère à soupe d'huile à feu moyen. Ajouter le tempeh et cuire jusqu'à ce qu'il soit doré des deux côtés, environ 4 minutes de chaque côté. Retirer de la poêle et réserver.

Dans la même poêle, chauffer les 2 cuillères à soupe d'huile restantes à feu moyen. Ajouter les échalotes et les patates douces. Couvrir et cuire jusqu'à ce qu'ils soient légèrement ramollis et légèrement dorés, environ 10 minutes. Incorporer le gingembre, le jus d'ananas, la 1 cuillère à soupe de sauce soja restante et le sucre, en remuant pour combiner. Réduire le feu à doux, ajouter le tempeh cuit, couvrir et cuire jusqu'à ce que les pommes de terre soient tendres, environ 10 minutes. Transférer le tempeh et les patates douces dans un plat de service et réserver au chaud. Incorporer le jus de citron vert à la sauce et laisser mijoter 1 minute pour mélanger les saveurs. Versez la sauce sur le tempeh et servez aussitôt.

7. **Tempeh créole**

Donne 4 à 6 portions

- 1 livre de tempeh, coupé en tranches de 1/4 de pouce
- ¼ tasse de sauce soja
- 2 cuillères à soupe d'assaisonnement créole
- ¹1/2 tasse de farine tout usage
- 2 cuillères à soupe d'huile d'olive
- 1 oignon jaune doux moyen, haché
- 2 côtes de céleri, hachées
- 1 poivron vert moyen, haché
- 3 gousses d'ail hachées
- 1 boîte (14,5 onces) de tomates en dés, égouttées
- 1 cuillère à café de thym séché
- ¹1/2 tasse de vin blanc sec
- Sel et poivre noir fraîchement moulu

Placez le tempeh dans une grande casserole avec suffisamment d'eau pour couvrir. Ajouter la sauce soja et 1 cuillère à soupe d'assaisonnement créole. Couvrir et laisser mijoter 30 minutes. Retirer le tempeh du liquide et réserver, en réservant le liquide.

Dans un bol peu profond, mélanger la farine avec les 2 cuillères à soupe d'assaisonnement créole restantes et bien mélanger. Draguez le tempeh dans le mélange de farine en l'enrobant bien. Dans une grande poêle, chauffer 1 cuillère à soupe d'huile à feu moyen. Ajouter le tempeh dragué et cuire jusqu'à ce qu'il soit doré des deux côtés, environ 4 minutes de chaque côté. Retirer le tempeh de la poêle et réserver.

Dans la même poêle, chauffer 1 cuillère à soupe d'huile restante à feu moyen. Ajouter l'oignon, le céleri, le poivron et l'ail. Couvrir et cuire jusqu'à ce que les légumes soient ramollis, environ 10 minutes. Incorporer les tomates, puis remettre le tempeh dans la poêle avec le thym, le vin et 1 tasse du liquide frémissant réservé. Assaisonnez avec du sel et du poivre selon votre goût. Porter à ébullition et cuire à découvert pendant environ 30 minutes pour réduire le liquide et mélanger les saveurs. Sers immédiatement.

8. Tempeh au citron et câpres

Donne 4 à 6 portions

- 1 livre de tempeh, coupé horizontalement en tranches de 1/4 de pouce
- ^{1}1/2 tasse de sauce soja
- ^{1}1/2 tasse de farine tout usage
- Sel et poivre noir fraîchement moulu
- 2 cuillères à soupe d'huile d'olive
- 2 échalotes moyennes, émincées
- 2 gousses d'ail émincées
- 2 cuillères à soupe de câpres
- ^{1}1/2 tasse de vin blanc sec
- ^{1}/2 tasse de bouillon de légumes, fait maison (voirBouillon de légumes léger) ou acheté en magasin
- 2 cuillères à soupe de margarine végétalienne
- Jus de 1 citron
- 2 cuillères à soupe de persil frais haché

Placez le tempeh dans une grande casserole avec suffisamment d'eau pour couvrir. Ajouter la sauce soja et laisser mijoter 30 minutes. Retirer le tempeh de la casserole et laisser refroidir. Dans un bol peu profond, mélanger la farine, le sel et le poivre au goût. Draguez le tempeh dans le mélange de farine, en enrobant les deux côtés. Mettre de côté.

Dans une grande poêle, chauffer 2 cuillères à soupe d'huile à feu moyen. Ajouter le tempeh, par lots si nécessaire, et cuire jusqu'à ce qu'il soit doré des deux côtés, environ 8 minutes au total. Retirer le tempeh de la poêle et réserver.

Dans la même poêle, chauffer 1 cuillère à soupe d'huile restante à feu moyen. Ajouter les échalotes et cuire environ 2 minutes. Ajouter l'ail, puis incorporer les câpres, le vin et le bouillon. Remettre le tempeh dans la poêle et laisser mijoter 6 à 8 minutes. Incorporer la margarine, le jus de citron et le persil, en remuant pour faire fondre la margarine. Sers immédiatement.

9. Tempeh avec glaçage à l'érable et au balsamique

Donne 4 portions

- 1 livre de tempeh, coupé en barres de 2 pouces
- 2 cuillères à soupe de vinaigre balsamique
- 2 cuillères à soupe de sirop d'érable pur
- 1 1/2 cuillères à soupe de moutarde brune épicée
- 1 cuillère à café de sauce Tabasco
- 1 cuillère à soupe d'huile d'olive
- 2 gousses d'ail émincées
- 1/2 tasse de bouillon de légumes, fait maison (voirBouillon de légumes léger) ou du sel du commerce et du poivre noir fraîchement moulu

Dans une casserole moyenne d'eau frémissante, cuire le tempeh pendant 30 minutes. Égouttez et séchez.

Dans un petit bol, mélanger le vinaigre, le sirop d'érable, la moutarde et le Tabasco. Mettre de côté.

Dans une grande poêle, chauffer l'huile à feu moyen. Ajouter le tempeh et cuire jusqu'à ce qu'il soit doré des deux côtés, en le retournant une fois, environ 4 minutes de chaque côté. Ajouter l'ail et cuire 30 secondes de plus.

Incorporer le bouillon et le sel et le poivre au goût. Augmenter le feu à moyen-vif et cuire à découvert pendant environ 3 minutes ou jusqu'à ce que le liquide soit presque évaporé.

Ajouter le mélange de moutarde réservé et cuire 1 à 2 minutes, en retournant le tempeh pour l'enrober de sauce et bien le glacer. Veillez à ne pas brûler. Sers immédiatement.

10. Chili au tempeh tentant

Donne 4 à 6 portions

- 1 livre de tempeh
- 1 cuillère à soupe d'huile d'olive
- 1 oignon jaune moyen, haché
- 1 poivron vert moyen, haché
- 2 gousses d'ail émincées
- cuillères à soupe de poudre de chili
- 1 cuillère à café d'origan séché
- 1 cuillère à café de cumin moulu

- (28 onces) boîte de tomates concassées
- ¹1/2 tasse d'eau, et plus si nécessaire
- 1 1⁄2 tasse cuit ou 1 boîte (15,5 onces) de haricots pinto, égouttés et rincés
- 1 boîte (4 onces) de piments verts doux hachés, égouttés
- Sel et poivre noir fraîchement moulu
- 2 cuillères à soupe de coriandre fraîche hachée

Dans une casserole moyenne d'eau frémissante, cuire le tempeh pendant 30 minutes. Égoutter et laisser refroidir, puis hacher finement et réserver.

Dans une grande casserole, faites chauffer l'huile. Ajouter l'oignon, le poivron et l'ail, couvrir et cuire jusqu'à ce qu'ils soient ramollis, environ 5 minutes. Ajouter le tempeh et cuire à découvert jusqu'à ce qu'il soit doré, environ 5 minutes. Ajouter la poudre de chili, l'origan et le cumin. Incorporer les tomates, l'eau, les haricots et les piments. Assaisonner avec du sel et du poivre noir au goût. Bien mélanger pour combiner.

Porter à ébullition, puis réduire le feu à doux, couvrir et laisser mijoter pendant 45 minutes en remuant de temps en temps, en ajoutant un peu plus d'eau si nécessaire.

Saupoudrer de coriandre et servir immédiatement.

11. Tempeh Cacciatore

Donne 4 à 6 portions

- 1 livre de tempeh, coupé en tranches minces
- 2 cuillères à soupe d'huile de canola ou de pépins de raisin
- 1 oignon rouge moyen, coupé en dés de 1/2 pouce
- poivron rouge moyen, coupé en dés de 1/2 pouce
- carotte moyenne, coupée en tranches de 1/4 de pouce
- 2 gousses d'ail émincées
- 1 boîte (28 onces) de tomates en dés, égouttées
- 1/4 tasse de vin blanc sec
- 1 cuillère à café d'origan séché
- 1 cuillère à café de basilic séché
- Sel et poivre noir fraîchement moulu

Dans une casserole moyenne d'eau frémissante, cuire le tempeh pendant 30 minutes. Égouttez et séchez.

Dans une grande poêle, chauffer 1 cuillère à soupe d'huile à feu moyen. Ajouter le tempeh et cuire jusqu'à ce qu'il soit doré des deux côtés, 8 à 10 minutes au total. Retirer de la poêle et réserver.

Dans la même poêle, chauffer 1 cuillère à soupe d'huile restante à feu moyen. Ajouter l'oignon, le poivron, la carotte et l'ail. Couvrir et cuire jusqu'à ce qu'ils soient ramollis, environ 5 minutes. Ajouter les tomates, le vin, l'origan, le basilic, le sel et le poivre noir au goût et porter à ébullition. Réduire le feu à doux, ajouter le tempeh réservé et laisser mijoter, à découvert, jusqu'à ce que les légumes soient tendres et que les saveurs soient bien combinées, environ 30 minutes. Sers immédiatement.

12. Tempeh indonésien dans une sauce à la noix de coco

Donne 4 à 6 portions

- 1 livre de tempeh, coupé en tranches de 1/4 de pouce
- 2 cuillères à soupe d'huile de canola ou de pépins de raisin
- 1 oignon jaune moyen, haché
- 3 gousses d'ail émincées
- 1 poivron rouge moyen, haché
- 1 poivron vert moyen, haché
- 1 ou 2 petits piments serrano ou autres piments forts frais, épépinés et émincés
- 1 boîte (14,5 onces) de tomates en dés, égouttées
- 1 boîte (13,5 onces) de lait de coco non sucré
- Sel et poivre noir fraîchement moulu
- ^{1}1/2 tasse d'arachides grillées non salées, moulues ou écrasées, pour la garniture
- 2 cuillères à soupe de coriandre fraîche hachée, pour la garniture

Dans une casserole moyenne d'eau frémissante, cuire le tempeh pendant 30 minutes. Égouttez et séchez.

Dans une grande poêle, chauffer 1 cuillère à soupe d'huile à feu moyen. Ajouter le tempeh et cuire jusqu'à ce qu'il soit doré des deux côtés, environ 10 minutes. Retirer de la poêle et réserver.

Dans la même poêle, chauffer 1 cuillère à soupe d'huile restante à feu moyen. Ajouter l'oignon, l'ail, les poivrons rouges et verts et les piments. Couvrir et cuire jusqu'à ce qu'ils soient ramollis, environ 5 minutes. Incorporer les tomates et le lait de coco. Réduire le feu à doux, ajouter le tempeh réservé, assaisonner de sel et poivre au goût et laisser mijoter, à découvert, jusqu'à ce que la sauce soit légèrement réduite, environ 30 minutes. Saupoudrer d'arachides et de coriandre et servir immédiatement.

13. Tempeh au gingembre et aux arachides

Donne 4 portions

- 1 livre de tempeh, coupé en dés de 1/2 pouce
- 2 cuillères à soupe d'huile de canola ou de pépins de raisin
- poivron rouge moyen, coupé en dés de 1/2 pouce
- 3 gousses d'ail émincées
- petit bouquet d'oignons verts, hachés
- 2 cuillères à soupe de gingembre frais râpé
- 2 cuillères à soupe de sauce soja
- 1 cuillère à soupe de sucre
- 1/4 cuillère à café de poivron rouge broyé
- 1 cuillère à soupe de fécule de maïs
- 1 tasse d'eau
- 1 tasse d'arachides grillées non salées concassées
- 2 cuillères à soupe de coriandre fraîche hachée

Dans une casserole moyenne d'eau frémissante, cuire le tempeh pendant 30 minutes. Égouttez et séchez. Dans une grande poêle ou un wok, chauffer l'huile à feu moyen. Ajouter le tempeh et cuire jusqu'à ce qu'il soit légèrement doré, environ 8 minutes. Ajouter le poivron et faire sauter jusqu'à ce qu'il soit ramolli, environ 5 minutes. Ajouter l'ail, les oignons verts et le gingembre et faire sauter jusqu'à ce qu'ils soient parfumés, 1 minute.

Dans un petit bol, mélanger la sauce soya, le sucre, le poivron rouge broyé, la fécule de maïs et l'eau. Bien mélanger, puis verser dans la poêle. Cuire en remuant pendant 5 minutes, jusqu'à épaississement légèrement. Incorporer les arachides et la coriandre. Sers immédiatement.

14. Tempeh aux pommes de terre et chou

Donne 4 portions

- 1 livre de tempeh, coupé en dés de 1/2 pouce
- 2 cuillères à soupe d'huile de canola ou de pépins de raisin
- 1 oignon jaune moyen, haché
- 1 carotte moyenne, hachée
- 11/2 cuillères à soupe de paprika hongrois sucré
- 2 pommes de terre rousses moyennes, pelées et coupées en dés de 1/2 pouce
- 3 tasses de chou râpé
- 1 boîte (14,5 onces) de tomates en dés, égouttées
- ^{1}/4 tasse de vin blanc sec
- 1 tasse de bouillon de légumes, fait maison (voir Bouillon de légumes léger) ou du sel du commerce et du poivre noir fraîchement moulu
- ^{1}/2 tasse de crème sure végétalienne, maison (voirCrème sure au tofu) ou acheté en magasin (facultatif)

Dans une casserole moyenne d'eau frémissante, cuire le tempeh pendant 30 minutes. Égouttez et séchez.

Dans une grande poêle, chauffer 1 cuillère à soupe d'huile à feu moyen. Ajouter le tempeh et cuire jusqu'à ce qu'il soit doré des deux côtés, environ 10 minutes. Retirer le tempeh et réserver.

Dans la même poêle, chauffer 1 cuillère à soupe d'huile restante à feu moyen. Ajouter l'oignon et la carotte, couvrir et cuire jusqu'à ce qu'ils soient ramollis, environ 10 minutes. Incorporer le paprika, les pommes de terre, le chou, les tomates, le vin et le bouillon et porter à ébullition. Assaisonnez avec du sel et du poivre selon votre goût

Réduire le feu à moyen, ajouter le tempeh et laisser mijoter à découvert pendant 30 minutes ou jusqu'à ce que les légumes soient tendres et que les saveurs soient mélangées. Incorporer la crème sure, le cas échéant, et servir immédiatement.

15. Ragoût de succotash du sud

Donne 4 portions

- 10 onces de tempeh
- 2 cuillères à soupe d'huile d'olive
- 1 gros oignon jaune doux, haché finement
- 2 pommes de terre rousses moyennes, pelées et coupées en dés de 1⁄2 pouce
- 1 boîte (14,5 onces) de tomates en dés, égouttées
- 1 paquet (16 onces) de succotash congelé
- 2 tasses de bouillon de légumes, fait maison (voir Bouillon de légumes léger) ou acheté en magasin, ou de l'eau
- 2 cuillères à soupe de sauce soja
- 1 cuillère à café de moutarde sèche
- 1 cuillère à café de sucre
- 1⁄2 cuillère à café de thym séché
- 1⁄2 cuillère à café de piment de la Jamaïque
- 1⁄4 cuillère à café de poivre de Cayenne moulu
- Sel et poivre noir fraîchement moulu

Dans une casserole moyenne d'eau frémissante, cuire le tempeh pendant 30 minutes. Égouttez, séchez et coupez en dés de 1 pouce.

Dans une grande poêle, chauffer 1 cuillère à soupe d'huile à feu moyen. Ajouter le tempeh et cuire jusqu'à ce qu'il soit doré des deux côtés, environ 10 minutes. Mettre de côté.

Dans une grande casserole, chauffer 1 cuillère à soupe d'huile restante à feu moyen. Ajouter l'oignon et cuire jusqu'à ce qu'il soit ramolli, 5 minutes. Ajouter les pommes de terre, les carottes, les tomates, la succotash, le bouillon, la sauce soja, la moutarde, le sucre, le thym, le piment de la Jamaïque et le poivre de Cayenne. Assaisonnez avec du sel et du poivre selon votre goût. Porter à ébullition, puis réduire le feu à doux et ajouter le tempeh. Laisser mijoter, couvert, jusqu'à ce que les légumes soient tendres, en remuant de temps en temps, environ 45 minutes.

Environ 10 minutes avant la fin de la cuisson du ragoût, incorporer la fumée liquide. Goûter, ajuster les assaisonnements si nécessaire

Sers immédiatement.

16. Casserole de Jambalaya au four

Donne 4 portions

- 10 onces de tempeh
- 2 cuillères à soupe d'huile d'olive
- 1 oignon jaune moyen, haché
- 1 poivron vert moyen, haché
- 2 gousses d'ail émincées
- 1 boîte (28 onces) de tomates en dés, non égouttées

- ½ tasse de riz blanc
- 1 1⁄2 tasse de bouillon de légumes, fait maison (voirBouillon de légumes léger) ou acheté en magasin, ou de l'eau
- 1 1⁄2 tasse cuit ou 1 boîte (15,5 onces) de haricots rouges foncés, égouttés et rincés
- 1 cuillère à soupe de persil frais haché
- 1 1⁄2 cuillères à café d'assaisonnement cajun
- 1 cuillère à café de thym séché
- ¹1/2 cuillère à café de sel
- ¼ cuillère à café de poivre noir fraîchement moulu

Dans une casserole moyenne d'eau frémissante, cuire le tempeh pendant 30 minutes. Égouttez et séchez. Couper en dés de 1⁄2 pouce. Préchauffer le four à 350 ° F.

Dans une grande poêle, chauffer 1 cuillère à soupe d'huile à feu moyen. Ajouter le tempeh et cuire jusqu'à ce qu'il soit doré des deux côtés, environ 8 minutes. Transférer le tempeh dans un plat allant au four de 9 x 13 pouces et réserver.

Dans la même poêle, chauffer 1 cuillère à soupe d'huile restante à feu moyen. Ajouter l'oignon, le poivron et l'ail. Couvrir et cuire jusqu'à ce que les légumes soient ramollis, environ 7 minutes.

Ajouter le mélange de légumes dans le plat de cuisson avec le tempeh. Incorporer les tomates avec leur liquide, le riz, le bouillon, les haricots rouges, le persil, l'assaisonnement cajun, le thym, le sel et le poivre noir. Bien mélanger, puis couvrir hermétiquement et cuire jusqu'à ce que le riz soit tendre, environ 1 heure. Sers immédiatement.

17. Tarte au tempeh et patates douces

Donne 4 portions

- 8 onces de tempeh
- 3 patates douces moyennes, pelées et coupées en dés de 1/2 pouce
- 2 cuillères à soupe de margarine végétalienne
- 1/4 tasse de lait de soja nature non sucré
- Sel et poivre noir fraîchement moulu
- 2 cuillères à soupe d'huile d'olive
- 1 oignon jaune moyen, haché finement
- 2 carottes moyennes, hachées
- 1 tasse de pois surgelés, décongelés
- 1 tasse de grains de maïs surgelés, décongelés
- 11/2 tasseSauce aux champignons
- 1/2 cuillère à café de thym séché

Dans une casserole moyenne d'eau frémissante, cuire le tempeh pendant 30 minutes. Égouttez et séchez. Hachez finement le tempeh et réservez-le.

Cuire les patates douces à la vapeur jusqu'à ce qu'elles soient tendres, environ 20 minutes. Préchauffer le four à 350 ° F. Écrasez les patates douces avec la margarine, le lait de soja et le sel et le poivre au goût. Mettre de côté.

Dans une grande poêle, chauffer 1 cuillère à soupe d'huile à feu moyen. Ajouter l'oignon et les carottes, couvrir et cuire jusqu'à ce qu'ils soient tendres, environ 10 minutes. Transférer dans un plat allant au four de 10 pouces.

Dans la même poêle, chauffer 1 cuillère à soupe d'huile restante à feu moyen. Ajouter le tempeh et cuire jusqu'à ce qu'il soit doré des deux côtés, 8 à 10 minutes. Ajouter le tempeh dans le plat de cuisson avec l'oignon et les carottes. Incorporer les pois, le maïs et la sauce aux champignons. Ajouter le thym et le sel et le poivre au goût. Remuer pour combiner.

Étalez la purée de patates douces sur le dessus, à l'aide d'une spatule pour répartir uniformément sur les bords de la casserole. Cuire au four jusqu'à ce que les pommes de terre soient légèrement dorées et que la garniture soit chaude, environ 40 minutes. Sers immédiatement.

18. Pâtes farcies aux aubergines et au tempeh

Donne 4 portions

- 8 onces de tempeh
- 1 aubergine moyenne
- 12 grosses coquilles de pâtes
- 1 gousse d'ail écrasée
- ¼ cuillère à café de poivre de Cayenne moulu
- Sel et poivre noir fraîchement moulu
- Chapelure sèche non assaisonnée

- 3 tasses de sauce marinara, maison (voir Sauce marinara) ou acheté en magasin

Dans une casserole moyenne d'eau frémissante, cuire le tempeh pendant 30 minutes. Égoutter et laisser refroidir.

Préchauffer le four à 450 ° F. Percer l'aubergine avec une fourchette et cuire au four sur une plaque à pâtisserie légèrement huilée jusqu'à ce qu'elle soit tendre, environ 45 minutes.

Pendant que l'aubergine cuit, cuire les coquilles de pâtes dans une casserole d'eau bouillante salée, en remuant de temps en temps, jusqu'à ce qu'elles soient al dente, environ 7 minutes. Égouttez et passez sous l'eau froide. Mettre de côté.

Retirer l'aubergine du four, la couper en deux sur la longueur et égoutter tout liquide. Réduisez la température du four à 350 ° F. Huiler légèrement un plat de cuisson de 9 x 13 pouces. Dans un robot culinaire, traitez l'ail jusqu'à ce qu'il soit finement moulu. Ajouter le tempeh et battre jusqu'à ce qu'il soit grossièrement moulu. Grattez la pulpe d'aubergine de sa coquille et ajoutez-la au robot culinaire avec le tempeh et l'ail. Ajouter le poivre de Cayenne, assaisonner de sel et de poivre au goût et mélanger par battage. Si la garniture est lâche, ajoutez de la chapelure.

Étalez une couche de sauce tomate sur le fond du plat de cuisson préparé. Farcir la garniture dans les coquilles jusqu'à ce qu'elle soit bien tassée.

Disposer les coquilles sur la sauce et verser le reste de la sauce sur et autour des coquilles. Couvrir de papier d'aluminium et cuire au four jusqu'à ce qu'il soit chaud, environ 30 minutes. Découvrir, saupoudrer de parmesan et cuire 10 minutes de plus. Sers immédiatement.

19. Nouilles de Singapour au tempeh

Donne 4 portions

- 8 onces de tempeh, coupé en dés de 1/2 pouce
- 8 onces de vermicelles de riz
- 1 cuillère à soupe d'huile de sésame grillé
- 2 cuillères à soupe d'huile de canola ou de pépins de raisin
- 4 cuillères à soupe de sauce soja
- $1/3$ tasse de beurre d'arachide crémeux
- $1/2$ tasse de lait de coco non sucré
- $1/2$ tasse d'eau
- 1 cuillère à soupe de jus de citron frais
- 1 cuillère à café de sucre brun clair
- $1/2$ cuillère à café de poivre de Cayenne moulu
- 1 poivron rouge moyen, haché

- 3 tasses de chou râpé
- 3 gousses d'ail
- 1 tasse d'oignons verts hachés
- 2 cuillères à café de gingembre frais râpé
- 1 tasse de pois surgelés, décongelés
- Le sel
- ¼ tasse d'arachides rôties non salées hachées, pour la garniture
- 2 cuillères à soupe de coriandre fraîche hachée, pour la garniture

Dans une casserole moyenne d'eau frémissante, cuire le tempeh pendant 30 minutes. Égouttez et séchez. Faites tremper les vermicelles de riz dans un grand bol d'eau chaude jusqu'à ce qu'ils soient ramollis, environ 5 minutes. Bien égoutter, rincer et transférer dans un grand bol. Mélanger avec l'huile de sésame et réserver.

Dans une grande poêle, chauffer 1 cuillère à soupe d'huile de canola à feu moyen-vif. Ajouter le tempeh cuit et cuire jusqu'à ce qu'il soit doré de tous les côtés, en ajoutant 1 cuillère à soupe de sauce soja pour ajouter de la couleur et de la saveur. Retirer le tempeh de la poêle et réserver.

Dans un mélangeur ou un robot culinaire, mélanger le beurre d'arachide, le lait de coco, l'eau, le jus de citron, le sucre, le poivre de Cayenne et les 3 cuillères à soupe restantes de sauce soja. Mélanger jusqu'à consistance lisse et réserver.

Dans une grande poêle, chauffer la 1 cuillère à soupe d'huile de canola restante à feu moyen-vif. Ajouter le poivron, le chou, l'ail, les oignons verts et le gingembre et cuire en remuant de temps en temps jusqu'à ce qu'ils ramollissent, environ 10 minutes. Réduisez le feu à doux; incorporer les pois, le tempeh doré et les nouilles ramollies. Incorporer la sauce, saler au goût et laisser mijoter jusqu'à ce qu'elle soit chaude.

Transférer dans un grand bol de service, garnir d'arachides hachées et de coriandre et servir.

20. Tempeh Bacon

Donne 4 portions

6 onces de tempeh
2 cuillères à soupe d'huile de canola ou de pépins de raisin
2 cuillères à soupe de sauce soja
$1/2$ cuillère à café de fumée liquide

Dans une casserole moyenne d'eau frémissante, cuire le tempeh pendant 30 minutes. Mettre de côté pour refroidir, puis sécher en tapotant et le couper en lanières de 1/8 de pouce.

Dans une grande poêle, chauffer l'huile à feu moyen. Ajouter les tranches de tempeh et faire revenir des deux côtés jusqu'à ce qu'elles soient dorées, environ 3 minutes de chaque côté. Arroser de sauce soja et de fumée liquide, en faisant attention à ne pas éclabousser. Tournez le tempeh pour enrober. Servir chaud.

21. Spaghetti et T-Balls

Donne 4 portions

- 1 livre de tempeh
- 2 ou 3 gousses d'ail, hachées finement
- 3 cuillères à soupe de persil frais haché finement
- 3 cuillères à soupe de sauce soja
- 1 cuillère à soupe d'huile d'olive, et plus pour la cuisson
- ¾ tasse de chapelure fraîche
- ⅓ tasse de farine de gluten de blé (gluten de blé vital)
- 3 cuillères à soupe de levure nutritionnelle
- ¹1/2 cuillère à café d'origan séché
- ¹1/2 cuillère à café de sel
- ¼ cuillère à café de poivre noir fraîchement moulu

- 1 livre de spaghettis
- 3 tasses de sauce marinara, maison (voir à gauche) ou du commerce

Dans une casserole moyenne d'eau frémissante, cuire le tempeh pendant 30 minutes. Bien égoutter et couper en morceaux.

Placer le tempeh cuit dans un robot culinaire, ajouter l'ail et le persil et battre jusqu'à ce qu'il soit grossièrement moulu. Ajouter la sauce soja, l'huile d'olive, la chapelure, la farine de gluten, la levure, l'origan, le sel et le poivre noir et mélanger pour mélanger, en laissant un peu de texture. Grattez le mélange de tempeh dans un bol et utilisez vos mains pour pétrir le mélange jusqu'à ce qu'il soit bien mélangé, 1 à 2 minutes. Utilisez vos mains pour rouler le mélange en petites boules, ne dépassant pas 1 1/2 pouces de diamètre. Répétez avec le reste du mélange de tempeh.

Dans une grande poêle légèrement huilée, chauffer une fine couche d'huile à feu moyen. Ajouter les boules en T, par lots si nécessaire, et cuire jusqu'à ce qu'elles soient dorées, en les déplaçant dans la poêle au besoin pour un brunissement uniforme, 15 à 20 minutes. Alternativement, vous pouvez disposer les boules en T sur une plaque à pâtisserie huilée et cuire au four à 350 ° F pendant 25 à 30 minutes, en les retournant une fois à mi-cuisson.

Dans une grande casserole d'eau bouillante salée, cuire les spaghettis à feu moyen-vif, en remuant de temps en temps, jusqu'à ce qu'ils soient al dente, environ 10 minutes.

Pendant la cuisson des spaghettis, chauffer la sauce marinara dans une casserole moyenne à feu moyen jusqu'à ce qu'elle soit chaude.

Lorsque les pâtes sont cuites, bien égoutter et répartir dans 4 assiettes ou bols de pâtes peu profonds. Garnir chaque portion de quelques boules en T. Verser la sauce sur les T-Balls et les spaghettis et servir chaud. Mélanger les boules en T restantes et la sauce dans un bol de service et servir.

22. Paglia E Fieno aux petits pois

Donne 4 portions

- ⅓ tasse plus 1 cuillère à soupe d'huile d'olive
- 2 échalotes moyennes, hachées finement
- ¼ tasse de bacon tempeh haché, fait maison (voirTempeh Bacon) ou acheté en magasin (facultatif)
- Sel et poivre noir fraîchement moulu
- 8 onces de linguine de blé ordinaire ou entier
- 8 onces de linguine aux épinards
- Parmesan végétalien ou Parmasio

Dans une grande poêle, chauffer 1 cuillère à soupe d'huile à feu moyen. Ajouter les échalotes et cuire jusqu'à tendreté, environ 5 minutes. Ajouter le bacon tempeh, le cas échéant, et cuire jusqu'à ce qu'il soit bien doré. Incorporer les champignons et cuire jusqu'à ce qu'ils soient ramollis, environ 5 minutes. Assaisonnez avec du sel et du poivre selon votre goût. Incorporer les petits pois et 1/3 tasse d'huile restante. Couvrir et garder au chaud à feu très doux.

Dans une grande casserole d'eau bouillante salée, cuire les linguine à feu moyen-vif, en remuant de temps en temps, jusqu'à ce qu'elles soient al dente, environ 10 minutes. Bien égoutter et transférer dans un grand bol de service.

Ajouter la sauce, assaisonner de sel et de poivre au goût et saupoudrer de parmesan. Mélangez doucement pour combiner et servez immédiatement.

SEITAN

23. Seitan mijoté de base

Donne environ 2 livres

Seitan

- 1¾ tasse de farine de gluten de blé (gluten de blé vital)
- ¹1/2 cuillère à café de sel
- ½ cuillère à café de poudre d'oignon
- ¼ cuillère à café de paprika doux
- 1 cuillère à soupe d'huile d'olive
- 2 cuillères à soupe de sauce soja
- 12/3 tasse d'eau froide

Liquide frémissant:

- 2 litres d'eau
- ^{1}1/2 tasse de sauce soja
- 2 gousses d'ail écrasées

Préparez le seitan: Dans un robot culinaire, mélangez la farine de gluten de blé, la levure nutritionnelle, le sel, l'oignon en poudre et le paprika. Pulser pour mélanger. Ajouter l'huile, la sauce soja et l'eau et mélanger pendant une minute pour former une pâte. Retourner le mélange sur un plan de travail légèrement fariné et pétrir jusqu'à ce qu'il soit lisse et élastique, environ 2 minutes.

Préparez le liquide frémissant: Dans une grande casserole, mélangez l'eau, la sauce soja et l'ail.

Divisez la pâte de seitan en 4 morceaux égaux et placez-la dans le liquide frémissant. Porter à ébullition à feu moyen-vif, puis réduire le feu à moyen-doux, couvrir et laisser mijoter doucement, en retournant de temps en temps, pendant 1 heure. Éteignez le feu et laissez refroidir le seitan dans le liquide. Une fois refroidi, le seitan peut être utilisé dans des recettes ou réfrigéré dans le liquide dans un récipient hermétique jusqu'à une semaine ou congelé jusqu'à 3 mois.

24. Rôti de seitan farci au four

Donne 6 portions

- 1 recette Seitan mijoté de base, non cuit
- 1 cuillère à soupe d'huile d'olive
- 1 petit oignon jaune, émincé
- 1 côte de céleri, émincée
- $^1/2$ cuillère à café de thym séché
- $^1/2$ cuillère à café de sauge séchée
- $^11/2$ tasse d'eau, ou plus si nécessaire
- Sel et poivre noir fraîchement moulu
- 2 tasses de cubes de pain frais
- $^1/4$ tasse de persil frais haché

Placez le seitan cru sur un plan de travail légèrement fariné et étirez-le avec les mains légèrement farinées jusqu'à ce qu'il soit plat et d'environ 1/2 pouce d'épaisseur. Placez le seitan aplati entre deux feuilles de pellicule plastique ou de papier sulfurisé. Utilisez un rouleau à pâtisserie pour l'aplatir autant que vous le pouvez (il sera élastique et résistant). Garnir d'une plaque à pâtisserie alourdie d'un gallon d'eau ou de conserves et laisser reposer pendant que vous faites la farce.

Dans une grande poêle, chauffer l'huile à feu moyen. Ajoutez l'oignon et le céleri. Couvrir et cuire jusqu'à tendreté, 10 minutes. Incorporer le thym, la sauge, l'eau et le sel et le poivre au goût. Retirer du feu et mettre de côté. Placez le pain et le persil dans un grand bol à mélanger. Ajouter le mélange d'oignon et bien mélanger, en ajoutant un peu plus d'eau si la farce est trop sèche. Goûter en ajustant les assaisonnements si nécessaire. si nécessaire. Mettre de côté.

Préchauffer le four à 350 ° F. Huiler légèrement un plat de cuisson de 9 x 13 pouces et réserver. Étalez le seitan aplati avec un rouleau à pâtisserie jusqu'à ce qu'il mesure environ 1/4 de pouce d'épaisseur. Étalez la farce sur la surface du seitan et roulez-la soigneusement et uniformément. Placez le rôti côté joint vers le bas dans le plat de cuisson préparé. Frottez un peu d'huile sur le dessus et les côtés du rôti et faites cuire au four, couvert pendant 45 minutes, puis découvrez et faites cuire au four jusqu'à ce qu'il soit ferme et brillant, environ 15 minutes de plus.

Retirer du four et réserver 10 minutes avant de trancher. Utilisez un couteau dentelé pour le couper en tranches de 1/2 pouce. Remarque: pour trancher plus facilement, préparez le rôti à l'avance et laissez-le refroidir complètement avant de le trancher. Trancher tout ou partie du rôti puis réchauffer au four, bien couvert, pendant 15 à 20 minutes, avant de servir.

25. Rôti de pot de seitan

Donne 4 portions

- 1 recette Seitan mijoté de base
- 2 cuillères à soupe d'huile d'olive
- 3 à 4 échalotes moyennes, coupées en deux sur la longueur
- 1 livre de pommes de terre Yukon Gold, pelées et coupées en morceaux de 2 pouces
- ½ cuillère à café de sarriette séchée
- ¼ cuillère à café de sauge moulue
- Sel et poivre noir fraîchement moulu
- Raifort, pour servir

Suivez les instructions pour préparer le seitan mijoté de base, mais divisez la pâte de seitan en 2 morceaux au lieu de 4 avant de faire mijoter. Une fois que le seitan a refroidi dans son bouillon pendant 30 minutes, retirez-le de la casserole et réservez. Réservez le liquide de cuisson en jetant les solides. Réservez 1 morceau de seitan (environ 1 livre) pour une utilisation future en le plaçant dans un bol et en le recouvrant d'une partie du liquide de cuisson réservé. Couvrir et réfrigérer jusqu'à ce que vous en ayez besoin. Si vous ne l'utilisez pas dans les 3 jours, refroidissez complètement le seitan, enveloppez-le hermétiquement et congelez-le.

Dans une grande casserole, chauffer 1 cuillère à soupe d'huile à feu moyen. Ajouter les échalotes et les carottes. Couvrir et cuire 5 minutes. Ajouter les pommes de terre, le thym, la sarriette, la sauge et le sel et le poivre au goût. Ajouter 1 1/2 tasse de liquide de cuisson réservé et porter à ébullition. Réduire le feu à doux et cuire à couvert pendant 20 minutes.

Frottez le seitan réservé avec 1 cuillère à soupe d'huile restante et le paprika. Placez le seitan sur les légumes mijotés. Couvrir et poursuivre la cuisson jusqu'à ce que les légumes soient tendres, environ 20 minutes de plus. Couper le seitan en fines tranches et disposer sur un grand plat de service entouré des légumes cuits. Servir aussitôt, avec du raifort à part.

26. Dîner de Thanksgiving à presque un plat

Donne 6 portions

- 2 cuillères à soupe d'huile d'olive
- 1 tasse d'oignon finement haché
- 2 côtes de céleri, hachées finement
- 2 tasses de champignons blancs tranchés
- $1/2$ cuillère à café de thym séché
- $1/2$ cuillère à café de sarriette séchée
- $1/2$ cuillère à café de sauge moulue
- Une pincée de muscade moulue
- Sel et poivre noir fraîchement moulu
- 2 tasses de cubes de pain frais

- 21/2 tasses de bouillon de légumes, fait maison (voirBouillon de légumes léger) ou acheté en magasin
- ⅓ tasse de canneberges séchées sucrées
- 8 onces de tofu extra-ferme, égoutté et coupé en tranches de 1/4 de pouce
- 8 onces de seitan, fait maison ou du commerce, tranché très finement
- 21/2 tassesPurée de pommes de terre de base
- 1 feuille de pâte feuilletée surgelée, décongelée

Préchauffer le four à 400 ° F. Huiler légèrement un plat de cuisson carré de 10 pouces. Dans une grande poêle, chauffer l'huile à feu moyen. Ajoutez l'oignon et le céleri. Couvrir et cuire jusqu'à ce qu'ils soient ramollis, environ 5 minutes. Incorporer les champignons, le thym, la sarriette, la sauge, la muscade et le sel et le poivre au goût. Cuire à découvert jusqu'à ce que les champignons soient tendres, environ 3 minutes de plus. Mettre de côté.

Dans un grand bol, mélanger les cubes de pain avec autant de bouillon que nécessaire pour humidifier (environ

11/2 tasse). Ajouter le mélange de légumes cuits, les noix et les canneberges. Remuer pour bien mélanger et réserver.

Dans la même poêle, porter à ébullition 1 tasse de bouillon restant, réduire le feu à moyen, ajouter le tofu et laisser mijoter, à découvert, jusqu'à ce que le bouillon soit absorbé, environ 10 minutes. Mettre de côté.

Étalez la moitié de la farce préparée au fond du plat de cuisson préparé, suivie de la moitié du seitan, de la moitié du tofu et de la moitié de la sauce brune. Répétez la superposition avec le reste de la farce, du seitan, du tofu et de la sauce.

27. Seitan Milanese avec Panko et Citron

Donne 4 portions

- 2 tasses de panko
- ¼ tasse de persil frais haché
- ¹1/2 cuillère à café de sel
- ¼ cuillère à café de poivre noir fraîchement moulu
- 1 livre de seitan, fait maison ou du commerce, coupé en tranches de 1/4 de pouce
- 2 cuillères à soupe d'huile d'olive
- 1 citron, coupé en quartiers

Préchauffez le four à 250 ° F. Dans un grand bol, mélanger le panko, le persil, le sel et le poivre. Humidifiez le seitan avec un peu d'eau et draguez-le dans le mélange de panko.

Dans une grande poêle, chauffer l'huile à feu moyen-vif. Ajouter le seitan et cuire, en le retournant une fois, jusqu'à ce qu'il soit doré, en plusieurs fois si nécessaire. Transférer le seitan cuit sur une plaque à pâtisserie et garder au chaud au four pendant que vous faites cuire le reste. Servir immédiatement, avec des quartiers de citron.

28. Seitan en croûte de sésame

Donne 4 portions

- ⅓ tasse de graines de sésame
- ⅓ tasse de farine tout usage
- ¹1/2 cuillère à café de sel
- ¼ cuillère à café de poivre noir fraîchement moulu
- ½ tasse de lait de soja nature non sucré
- 1 livre de seitan, de seitan fait maison ou du commerce, coupé en tranches de 1⁄4 de pouce
- 2 cuillères à soupe d'huile d'olive

Placer les graines de sésame dans une poêle sèche à feu moyen et faire griller jusqu'à ce qu'elles soient légèrement dorées, en remuant constamment, 3 à 4 minutes. Laisser refroidir, puis les broyer dans un robot culinaire ou un moulin à épices.

Placer les graines de sésame moulues dans un bol peu profond et ajouter la farine, le sel et le poivre et bien mélanger. Placez le lait de soja dans un bol peu profond. Trempez le seitan dans le lait de soja, puis draguez-le dans le mélange de sésame.

Dans une grande poêle, chauffer l'huile à feu moyen. Ajouter le seitan, par lots si nécessaire, et cuire jusqu'à ce qu'il soit croustillant et doré des deux côtés, environ 10 minutes. Sers immédiatement.

29. Seitan aux artichauts et olives

Donne 4 portions

- 2 cuillères à soupe d'huile d'olive
- 1 livre de seitan, fait maison ou du commerce, coupé en tranches de 1/4 de pouce
- 2 gousses d'ail émincées
- 1 boîte (14,5 onces) de tomates en dés, égouttées
- 1 1/2 tasse de cœurs d'artichaut en conserve ou congelés (cuits), coupés en tranches de 1/4 de pouce
- 1 cuillère à soupe de câpres
- 2 cuillères à soupe de persil frais haché
- Sel et poivre noir fraîchement moulu
- 1 tasse Tofu Feta (optionnel)

Préchauffer le four à 250 ° F. Dans une grande poêle, chauffer 1 cuillère à soupe d'huile à feu moyen-vif. Ajouter le seitan et faire dorer des deux côtés, environ 5 minutes. Transférer le seitan dans un plat résistant à la chaleur et réserver au chaud au four.

Dans la même poêle, chauffer 1 cuillère à soupe d'huile restante à feu moyen. Ajouter l'ail et cuire jusqu'à ce qu'il soit parfumé, environ 30 secondes. Ajouter les tomates, les cœurs d'artichaut, les olives, les câpres et le persil. Assaisonner de sel et de poivre au goût et cuire jusqu'à ce qu'il soit chaud, environ 5 minutes. Mettre de côté.

Placer le seitan sur un plat de service, garnir du mélange de légumes et saupoudrer de tofu feta, le cas échéant. Sers immédiatement.

30. Seitan Avec Sauce Ancho-Chipotle

Donne 4 portions

- 2 cuillères à soupe d'huile d'olive
- 1 oignon moyen, haché
- 2 carottes moyennes, hachées
- 2 gousses d'ail émincées
- 1 boîte (28 onces) de tomates grillées au feu écrasées
- ½ tasse de bouillon de légumes, fait maison (voirBouillon de légumes léger) ou acheté en magasin
- 2 piments ancho séchés
- 1 piment chipotle séché

- ¹/2 tasse de semoule de maïs jaune
- ¹1/2 cuillère à café de sel
- ¹/4 cuillère à café de poivre noir fraîchement moulu
- 1 livre de seitan, fait maison ou du commerce, coupé en tranches de 1/4 de pouce

Dans une grande casserole, chauffer 1 cuillère à soupe d'huile à feu moyen. Ajouter l'oignon et les carottes, couvrir et cuire 7 minutes. Ajouter l'ail et cuire 1 minute. Incorporer les tomates, le bouillon et les piments ancho et chipotle. Laisser mijoter, à découvert, pendant 45 minutes, puis verser la sauce dans un mélangeur et mélanger jusqu'à consistance lisse. Remettre dans la casserole et réserver au chaud à feu très doux.

Dans un bol peu profond, mélanger la semoule de maïs avec le sel et le poivre. Draguez le seitan dans le mélange de semoule de maïs en l'enrobant uniformément.

Dans une grande poêle, chauffer les 2 cuillères à soupe restantes d'huile à feu moyen. Ajouter le seitan et cuire jusqu'à ce qu'il soit doré des deux côtés, environ 8 minutes au total. Servir aussitôt avec la sauce chili.

31. Seitan Piccata

Donne 4 portions

- 1 livre de seitan, fait maison ou du commerce, coupé en tranches de 1/4 de pouce Sel et poivre noir fraîchement moulu
- $1/2$ tasse de farine tout usage
- 2 cuillères à soupe d'huile d'olive
- 1 échalote moyenne, émincée
- 2 gousses d'ail émincées
- 2 cuillères à soupe de câpres
- $1/3$ tasse de vin blanc
- $1/3$ tasse de bouillon de légumes, fait maison (voirBouillon de légumes léger) ou acheté en magasin
- 2 cuillères à soupe de jus de citron frais
- 2 cuillères à soupe de margarine végétalienne
- 2 cuillères à soupe de persil frais haché

Préchauffer le four à 275 ° F. Assaisonnez le seitan avec du sel et du poivre au goût et ajoutez la farine.

Dans une grande poêle, chauffer 2 cuillères à soupe d'huile à feu moyen. Ajouter le seitan dragué et cuire jusqu'à ce qu'il soit légèrement doré des deux côtés, environ 10 minutes. Transférer le seitan dans un plat résistant à la chaleur et réserver au chaud au four.

Dans la même poêle, chauffer 1 cuillère à soupe d'huile restante à feu moyen. Ajouter l'échalote et l'ail, cuire 2 minutes, puis incorporer les câpres, le vin et le bouillon. Laisser mijoter une minute ou deux pour réduire légèrement, puis ajouter le jus de citron, la margarine et le persil, en remuant jusqu'à ce que la margarine soit incorporée à la sauce. Versez la sauce sur le seitan doré et servez aussitôt.

32. Seitan à trois graines

Donne 4 portions

- ¼ tasse de graines de tournesol décortiquées non salées
- ¼ tasse de graines de citrouille décortiquées non salées (pepitas)
- ¼ tasse de graines de sésame
- ¾ tasse de farine tout usage
- 1 cuillère à café de coriandre moulue
- 1 cuillère à café de paprika fumé
- ¹1/2 cuillère à café de sel
- ¼ cuillère à café de poivre noir fraîchement moulu
- 1 livre de seitan, fait maison ou du commerce, coupé en bouchées
- 2 cuillères à soupe d'huile d'olive

Dans un robot culinaire, mélanger les graines de tournesol, les graines de citrouille et les graines de sésame et réduire en poudre. Transférer dans un bol peu profond, ajouter la farine, la coriandre, le paprika, le sel et le poivre et remuer pour combiner.

Humidifiez les morceaux de seitan avec de l'eau, puis draguez dans le mélange de graines pour les enrober complètement.

Dans une grande poêle, chauffer l'huile à feu moyen. Ajouter le seitan et cuire jusqu'à ce qu'il soit légèrement doré et croustillant des deux côtés. Sers immédiatement.

33. Fajitas sans frontières

Donne 4 portions

- 1 cuillère à soupe d'huile d'olive
- 1 petit oignon rouge, haché
- 10 onces de seitan, fait maison ou du commerce, coupé en lanières de 1/2 pouce
- 1/4 tasse de piments verts hachés chauds ou doux en conserve
- Sel et poivre noir fraîchement moulu
- (10 pouces) de tortillas à la farine molle
- 2 tasses de salsa aux tomates, maison (voir Salsa aux tomates fraîches) ou acheté en magasin

Dans une grande poêle, chauffer l'huile à feu moyen. Ajouter l'oignon, couvrir et cuire jusqu'à ce qu'il soit ramolli, environ 7 minutes. Ajouter le seitan et cuire à découvert pendant 5 minutes.

Ajouter les patates douces, les piments, l'origan et le sel et le poivre au goût, en remuant pour bien mélanger. Continuez à cuire jusqu'à ce que le mélange soit chaud et que les saveurs soient bien mélangées, en remuant de temps en temps, environ 7 minutes.

Réchauffez les tortillas dans une poêle sèche. Placez chaque tortilla dans un bol peu profond. Verser le mélange de seitan et de patates douces dans les tortillas, puis garnir chacune d'environ 1/3 de tasse de salsa. Saupoudrer chaque bol avec 1 cuillère à soupe d'olives, le cas échéant. Servir immédiatement, avec la salsa restante servie à côté.

34. Seitan avec relish de pomme verte

Donne 4 portions

- 2 pommes Granny Smith, hachées grossièrement
- ½ tasse d'oignon rouge finement haché
- ½ piment jalapeño, épépiné et émincé
- 1 1/2 cuillères à café de gingembre frais râpé
- 2 cuillères à soupe de jus de citron vert frais
- 2 cuillères à café de nectar d'agave
- Sel et poivre noir fraîchement moulu
- 2 cuillères à soupe d'huile d'olive
- 1 livre de seitan, fait maison ou du commerce, coupé en tranches de 1/2 pouce

Dans un bol moyen, mélanger les pommes, l'oignon, le piment, le gingembre, le jus de lime, le nectar d'agave et le sel et le poivre au goût. Mettre de côté.

Chauffer l'huile dans une poêle à feu moyen. Ajouter le seitan et cuire jusqu'à ce qu'il soit doré des deux côtés, en le retournant une fois, environ 4 minutes de chaque côté. Assaisonnez avec du sel et du poivre selon votre goût. Ajouter le jus de pomme et cuire 1 minute jusqu'à ce qu'il réduise. Servir aussitôt avec la relish aux pommes.

35. Sauté de seitan et brocoli-shiitake

Donne 4 portions

- 2 cuillères à soupe d'huile de canola ou de pépins de raisin
- 10 onces de seitan, fait maison ou du commerce, coupé en tranches de 1/4 de pouce
- 3 gousses d'ail émincées
- 2 cuillères à café de gingembre frais râpé
- oignons verts, émincés
- 1 bouquet moyen de brocoli, coupé en fleurons de 1 pouce
- 3 cuillères à soupe de sauce soja
- 2 cuillères à soupe de xérès sec
- 1 cuillère à café d'huile de sésame grillé
- 1 cuillère à soupe de graines de sésame grillées

Dans une grande poêle, chauffer 1 cuillère à soupe d'huile à feu moyen-vif. Ajouter le seitan et cuire en remuant de temps en temps jusqu'à ce qu'il soit légèrement doré, environ 3 minutes. Transférer le seitan dans un bol et réserver.

Dans la même poêle, chauffer la 1 cuillère à soupe d'huile restante à feu moyen-vif. Ajouter les champignons et cuire, en remuant fréquemment, jusqu'à ce qu'ils soient dorés, environ 3 minutes. Incorporer l'ail, le gingembre et les oignons verts et cuire 30 secondes de plus. Ajouter le mélange de champignons au seitan cuit et réserver.

Ajouter le brocoli et l'eau dans la même poêle. Couvrir et cuire jusqu'à ce que le brocoli commence à virer au vert vif, environ 3 minutes. Découvrir et cuire, en remuant fréquemment, jusqu'à ce que le liquide s'évapore et que le brocoli soit croustillant-tendre, environ 3 minutes de plus.

Remettre le mélange de seitan et de champignons dans la poêle. Ajouter la sauce soja et le xérès et faire sauter jusqu'à ce que le seitan et les légumes soient chauds, environ 3 minutes. Saupoudrer d'huile de sésame et de graines de sésame et servir immédiatement.

36. Brochettes de seitan aux pêches

Donne 4 portions

- ¹⁄3 tasse de vinaigre balsamique
- 2 cuillères à soupe de vin rouge sec
- 2 cuillères à soupe de sucre brun clair
- ¹⁄4 tasse de basilic frais haché
- ¹⁄4 tasse de marjolaine fraîche hachée
- 2 cuillères à soupe d'ail émincé
- 2 cuillères à soupe d'huile d'olive
- 1 livre de seitan, fait maison ou du commerce, coupé en morceaux de 1 pouce
- échalotes, coupées en deux sur la longueur et blanchies
- Sel et poivre noir fraîchement moulu
- 2 pêches mûres, dénoyautées et coupées en morceaux de 1 pouce

CMélanger le vinaigre, le vin et le sucre dans une petite casserole et porter à ébullition. Réduire le feu à moyen et laisser mijoter, en remuant, jusqu'à réduction de moitié, environ 15 minutes. Retirer du feu.

Dans un grand bol, mélanger le basilic, la marjolaine, l'ail et l'huile d'olive. Ajouter le seitan, les échalotes et les pêches et mélanger pour enrober. Assaisonnez avec du sel et du poivre selon votre goût

Préchauffer le gril. * Enfiler le seitan, les échalotes et les pêches sur les brochettes et badigeonner du mélange balsamique.

Placer les brochettes sur le gril et cuire jusqu'à ce que le seitan et les pêches soient grillés, environ 3 minutes de chaque côté. Badigeonner du reste du mélange balsamique et servir immédiatement.

*Au lieu de griller, vous pouvez mettre ces brochettes sous le gril. Faire griller à 4 à 5 pouces du feu jusqu'à ce qu'il soit chaud et légèrement doré sur les bords, environ 10 minutes, en retournant une fois à mi-cuisson.

37. Brochettes de seitan et de légumes grillés

Donne 4 portions

- ⅓ tasse de vinaigre balsamique
- 2 cuillères à soupe d'huile d'olive
- 1 cuillère à soupe d'origan frais émincé ou 1 cuillère à café séchée
- 2 gousses d'ail émincées
- 1 1/2 cuillère à café de sel
- ¼ cuillère à café de poivre noir fraîchement moulu
- 1 livre de seitan, fait maison ou du commerce, coupé en cubes de 1 pouce
- 7 onces de petits champignons blancs, légèrement rincés et essorés
- 2 petites courgettes, coupées en morceaux de 1 pouce
- 1 poivron jaune moyen, coupé en carrés de 1 pouce
- tomates cerises mûres

Dans un bol moyen, mélanger le vinaigre, l'huile, l'origan, le thym, l'ail, le sel et le poivre noir. Ajouter le seitan, les champignons, les courgettes, le poivron et les tomates en retournant pour enrober. Faire mariner à température ambiante pendant 30 minutes en retournant de temps en temps. Égoutter le seitan et les légumes en réservant la marinade.

Préchauffez le gril. * Enfilez le seitan, les champignons et les tomates sur des brochettes.

Placer les brochettes sur le gril chaud et cuire en retournant les brochettes une fois à mi-cuisson, environ 10 minutes au total. Arroser d'une petite quantité de la marinade réservée et servir immédiatement.

*Au lieu de griller, vous pouvez mettre ces brochettes sous le gril. Griller à 4 à 5 pouces du feu jusqu'à ce qu'il soit chaud et légèrement doré sur les bords, environ 10 minutes, en retournant une fois à mi-cuisson.

38. Seitan En Croute

Donne 4 portions

- 1 cuillère à soupe d'huile d'olive
- 2 échalotes moyennes, émincées
- onces de champignons blancs, émincés
- ¼ tasse de Madère
- 1 cuillère à soupe de persil frais haché
- ½ cuillère à café de thym séché
- ½ cuillère à café de sarriette séchée
- 2 tasses de cubes de pain sec finement hachés
- Sel et poivre noir fraîchement moulu
- 1 feuille de pâte feuilletée surgelée, décongelée
- Tranches de seitan (1/4 po d'épaisseur) d'environ 3 ovales ou rectangles de 4 po, épongées

Dans une grande poêle, chauffer l'huile à feu moyen. Ajouter les échalotes et cuire jusqu'à ce qu'elles soient ramollies, environ 3 minutes. Ajouter les champignons et cuire, en remuant de temps en temps, jusqu'à ce que les champignons soient ramollis, environ 5 minutes. Ajouter la Madiera, le persil, le thym et la sarriette et cuire jusqu'à ce que le liquide soit presque évaporé. Incorporer les cubes de pain et assaisonner de sel et de poivre au goût. Mettez de côté pour refroidir.

Posez la feuille de pâte feuilletée sur un grand morceau de pellicule plastique sur une surface de travail plane. Garnir d'un autre morceau de pellicule plastique et utiliser un rouleau à pâtisserie pour étaler légèrement la pâte pour la lisser. Coupez la pâte en quartiers. Placer 1 tranche de seitan au centre de chaque morceau de pâte. Répartissez la farce entre elles, étalez-la pour recouvrir le seitan. Garnir chacun avec les tranches de seitan restantes. Pliez la pâte pour enfermer la garniture, en sertissant les bords avec vos doigts pour sceller. Placer les emballages de pâtisserie, joint vers le bas, sur une grande plaque à pâtisserie non graissée et réfrigérer 30 minutes. Préchauffer le four à 400 ° F. Cuire au four jusqu'à ce que la croûte soit bien dorée, environ 20 minutes. Sers immédiatement.

39. Torta au seitan et aux pommes de terre

Donne 6 portions

- 2 cuillères à soupe d'huile d'olive
- 1 oignon jaune moyen, émincé
- 4 tasses de pousses d'épinards frais ou de blettes hachées
- 8 onces de seitan, fait maison ou du commerce, haché finement
- 1 cuillère à café de marjolaine fraîche émincée
- ^{1}1/2 cuillère à café de graines de fenouil moulues
- ¼ à 1/2 cuillère à café de poivron rouge broyé
- Sel et poivre noir fraîchement moulu
- 2 livres de pommes de terre Yukon Gold, pelées et coupées en tranches de 1/4 de pouce
- ½ tasse de parmesan végétalien ouParmasio

Préchauffer le four à 400 ° F. Huiler légèrement une casserole de 3 litres ou un plat de cuisson de 9 x 13 pouces et réserver.

Dans une grande poêle, chauffer 1 cuillère à soupe d'huile à feu moyen. Ajouter l'oignon, couvrir et cuire jusqu'à ce qu'il soit ramolli, environ 7 minutes. Ajouter les épinards et cuire à découvert jusqu'à ce qu'ils soient fanés, environ 3 minutes. Incorporer le seitan, la marjolaine, les graines de fenouil et le poivron rouge broyé et cuire jusqu'à ce que le tout soit bien mélangé. Assaisonnez avec du sel et du poivre selon votre goût. Mettre de côté.

Étalez les tranches de tomates au fond de la casserole préparée. Garnir d'une couche de tranches de pommes de terre légèrement superposées. Badigeonner la couche de pommes de terre avec une partie de 1 cuillère à soupe d'huile restante et assaisonner avec du sel et du poivre au goût. Répartir environ la moitié du mélange de seitan et d'épinards sur les pommes de terre. Garnir d'une autre couche de pommes de terre, suivie du reste du mélange de seitan et d'épinards. Garnir d'une dernière couche de pommes de terre, arroser du reste de l'huile et du sel et du poivre au goût. Saupoudrer de parmesan. Couvrir et cuire jusqu'à ce que les pommes de terre soient tendres, de 45 minutes à 1 heure. Découvrir et poursuivre la cuisson pour faire dorer le dessus, 10 à 15 minutes. Sers immédiatement.

40. Tarte rustique

Donne 4 à 6 portions

- Pommes de terre Yukon Gold, pelées et coupées en dés de 1 pouce
- 2 cuillères à soupe de margarine végétalienne
- ¼ tasse de lait de soja nature non sucré
- Sel et poivre noir fraîchement moulu
- 1 cuillère à soupe d'huile d'olive

- 1 oignon jaune moyen, haché finement
- 1 carotte moyenne, hachée finement
- 1 côte de céleri, hachée finement
- onces de seitan, fait maison ou du commerce, haché finement
- 1 tasse de pois surgelés
- 1 tasse de grains de maïs surgelés
- 1 cuillère à café de sarriette séchée
- $1/2$ cuillère à café de thym séché

Dans une casserole d'eau bouillante salée, cuire les pommes de terre jusqu'à ce qu'elles soient tendres, de 15 à 20 minutes. Bien égoutter et remettre dans la casserole. Ajouter la margarine, le lait de soja et le sel et le poivre au goût. Écraser grossièrement avec un presse-purée et réserver. Préchauffer le four à 350 ° F.

Dans une grande poêle, chauffer l'huile à feu moyen. Ajoutez l'oignon, la carotte et le céleri. Couvrir et cuire jusqu'à tendreté, environ 10 minutes. Transférer les légumes dans un plat allant au four de 9 x 13 pouces. Incorporer le seitan, la sauce aux champignons, les pois, le maïs, la sarriette et le thym. Assaisonnez de sel et de poivre au goût et étalez le mélange uniformément dans le plat de cuisson.

Garnir de purée de pommes de terre en les étalant sur les bords du plat allant au four. Cuire au four jusqu'à ce que les pommes de terre soient dorées et que la garniture bouillonne, environ 45 minutes. Sers immédiatement.

41. Seitan aux épinards et tomates

Donne 4 portions

- 2 cuillères à soupe d'huile d'olive
- 1 livre de seitan, fait maison ou du commerce, coupé en lanières de 1/4 de pouce
- Sel et poivre noir fraîchement moulu
- 3 gousses d'ail émincées
- 4 tasses de bébés épinards frais
- tomates séchées dans l'huile, coupées en lanières de 1/4 de pouce
- 1/2 tasse d'olives Kalamata dénoyautées, coupées en deux
- 1 cuillère à soupe de câpres
- 1/4 cuillère à café de poivron rouge broyé

Dans une grande poêle, chauffer l'huile à feu moyen. Ajouter le seitan, assaisonner de sel et de poivre noir au goût et cuire jusqu'à ce qu'il soit doré, environ 5 minutes de chaque côté.

Ajouter l'ail et cuire 1 minute pour ramollir. Ajouter les épinards et cuire jusqu'à ce qu'ils soient fanés, environ 3 minutes. Incorporer les tomates, les olives, les câpres et le poivron rouge écrasé. Assaisonner avec du sel et du poivre noir au goût. Cuire, en remuant, jusqu'à ce que les saveurs se soient mélangées, environ 5 minutes

Sers immédiatement.

42. Seitan et pommes de terre festonnées

Donne 4 portions

- 2 cuillères à soupe d'huile d'olive
- 1 petit oignon jaune, émincé
- ¼ tasse de poivron vert émincé
- grosses pommes de terre Yukon Gold, pelées et coupées en tranches de 1/4 po
- ¹1/2 cuillère à café de sel
- ¼ cuillère à café de poivre noir fraîchement moulu
- 10 onces de seitan, fait maison ou du commerce, haché
- ½ tasse de lait de soja nature non sucré
- 1 cuillère à soupe de margarine végétalienne
- 2 cuillères à soupe de persil frais haché, comme garniture

Préchauffer le four à 350 ° F. Huiler légèrement un plat de cuisson carré de 10 pouces et réserver.

Dans une poêle, chauffer l'huile à feu moyen. Ajouter l'oignon et le poivron et cuire jusqu'à ce qu'ils soient tendres, environ 7 minutes. Mettre de côté.

Dans le plat de cuisson préparé, étendre la moitié des pommes de terre et saupoudrer de sel et de poivre noir au goût. Saupoudrer le mélange d'oignon et de poivron et le seitan haché sur les pommes de terre. Garnir avec les tranches de pommes de terre restantes et assaisonner de sel et de poivre noir au goût.

Dans un bol moyen, mélanger la sauce brune et le lait de soja jusqu'à homogénéité. Versez sur les pommes de terre. Dot la couche supérieure de margarine et couvrir hermétiquement de papier d'aluminium. Cuire au four pendant 1 heure. Retirer le papier d'aluminium et cuire au four pendant 20 minutes supplémentaires ou jusqu'à ce que le dessus soit doré. Servir aussitôt saupoudré de persil.

43. Sauté de nouilles à la coréenne

Donne 4 portions

- 8 onces de dang myun ou de nouilles au fil de haricots
- 2 cuillères à soupe d'huile de sésame grillé
- 1 cuillère à soupe de sucre
- ¼ cuillère à café de sel
- ¼ cuillère à café de poivre de Cayenne moulu
- 2 cuillères à soupe d'huile de canola ou de pépins de raisin
- 8 onces de seitan, fait maison ou du commerce, coupé en lanières de 1⁄4 de pouce
- 1 oignon moyen, coupé en deux sur la longueur et tranché finement
- 1 carotte moyenne, coupée en fines allumettes
- 6 onces de champignons shiitake frais, épépinés et tranchés finement
- 3 tasses de bok choy finement tranché ou autre chou asiatique

- 3 oignons verts, hachés
- 3 gousses d'ail finement émincées
- 1 tasse de germes de soja
- 2 cuillères à soupe de graines de sésame, pour la garniture

Faites tremper les nouilles dans l'eau chaude pendant 15 minutes. Égoutter et rincer sous l'eau froide. Mettre de côté.

Dans un petit bol, mélanger la sauce soya, l'huile de sésame, le sucre, le sel et le poivre de Cayenne et réserver.

Dans une grande poêle, chauffer 1 cuillère à soupe d'huile à feu moyen-vif. Ajouter le seitan et faire sauter jusqu'à ce qu'il soit doré, environ 2 minutes. Retirer de la poêle et réserver.

Ajouter la cuillère à soupe d'huile de canola restante dans la même poêle et chauffer à feu moyen-vif. Ajouter l'oignon et la carotte et faire sauter jusqu'à ce qu'ils soient ramollis, environ 3 minutes. Ajouter les champignons, le bok choy, les oignons verts et l'ail et faire sauter jusqu'à ce qu'ils soient ramollis, environ 3 minutes.

Ajouter les germes de soja et faire sauter 30 secondes, puis ajouter les nouilles cuites, le seitan doré et le mélange de sauce soja et remuer pour enrober. Continuez à cuire, en remuant de temps en temps, jusqu'à ce que les ingrédients soient chauds et bien mélangés, 3 à 5 minutes. Transférer dans un grand plat de service, saupoudrer de graines de sésame et servir immédiatement.

44. Chili aux haricots rouges épicés

Donne 4 portions

- 1 cuillère à soupe d'huile d'olive
- 1 oignon moyen, haché
- 10 onces de seitan, fait maison ou du commerce, haché
- 3 tasses cuites ou 2 boîtes (15,5 onces) de haricots rouges foncés, égouttés et rincés
- (14,5 onces) peuvent tomates concassées
- (14,5 onces) boîte de tomates en dés, égouttées
- (4 onces) peuvent hacher des piments verts doux ou chauds, égouttés
- ½ tasse de sauce barbecue, maison ou du commerce
- 1 tasse d'eau
- 1 cuillère à soupe de sauce soja
- 1 cuillère à soupe de poudre de chili
- 1 cuillère à café de cumin moulu

- 1 cuillère à café de piment de la Jamaïque
- 1 cuillère à café de sucre
- ¹1/2 cuillère à café d'origan moulu
- ¼ cuillère à café de poivre de Cayenne moulu
- ¹1/2 cuillère à café de sel
- ¼ cuillère à café de poivre noir fraîchement moulu

Dans une grande casserole, chauffer l'huile à feu moyen. Ajoutez l'oignon et le seitan. Couvrir et cuire jusqu'à ce que l'oignon soit ramolli, environ 10 minutes.

Incorporer les haricots rouges, les tomates concassées, les tomates en dés et les piments. Incorporer la sauce barbecue, l'eau, la sauce soja, la poudre de chili, le cumin, le piment de la Jamaïque, le sucre, l'origan, le poivre de Cayenne, le sel et le poivre noir.

Porter à ébullition, puis réduire le feu à moyen et laisser mijoter, à couvert, jusqu'à ce que les légumes soient tendres, environ 45 minutes. Découvrir et laisser mijoter environ 10 minutes de plus. Sers immédiatement.

45. Ragoût de mélange d'automne

Donne 4 à 6 portions

- 2 cuillères à soupe d'huile d'olive
- 10 onces de seitan, fait maison ou du commerce, coupé en cubes de 1 pouce
- Sel et poivre noir fraîchement moulu
- 1 gros oignon jaune, haché
- 2 gousses d'ail émincées
- 1 grosse pomme de terre rousse, pelée et coupée en dés de 1/2 pouce
- 1 panais moyen, coupé en dés de 1/4 de pouce haché
- 1 petite courge musquée, pelée, coupée en deux, épépinée et coupée en dés de 1/2 pouce
- 1 petite tête de chou frisé haché
- 1 boîte (14,5 onces) de tomates en dés, égouttées
- 1 1/2 tasse cuit ou 1 boîte (15,5 onces) de pois chiches, égouttés et rincés

- 2 tasses de bouillon de légumes, fait maison (voir Bouillon de légumes léger) ou acheté en magasin, ou de l'eau
- $\frac{1}{2}$ cuillère à café de marjolaine séchée
- $\frac{1}{2}$ cuillère à café de thym séché
- $\frac{1}{2}$ tasse de pâtes aux cheveux d'ange émiettées

Dans une grande poêle, chauffer 1 cuillère à soupe d'huile à feu moyen-vif. Ajouter le seitan et cuire jusqu'à ce qu'il soit doré de tous les côtés, environ 5 minutes. Assaisonner de sel et de poivre au goût et réserver.

Dans une grande casserole, chauffer 1 cuillère à soupe d'huile restante à feu moyen. Ajoutez l'oignon et l'ail. Couvrir et cuire jusqu'à ce qu'ils soient ramollis, environ 5 minutes. Ajouter la pomme de terre, la carotte, le panais et la courge. Couvrir et cuire jusqu'à ce qu'ils soient ramollis, environ 10 minutes.

Incorporer le chou, les tomates, les pois chiches, le bouillon, le vin, la marjolaine, le thym et le sel et le poivre au goût. Porter à ébullition, puis réduire le feu à doux. Couvrir et cuire, en remuant de temps en temps, jusqu'à ce que les légumes soient tendres, environ 45 minutes. Ajouter le seitan cuit et les pâtes et laisser mijoter jusqu'à ce que les pâtes soient tendres et que les saveurs soient mélangées, environ 10 minutes de plus. Sers immédiatement.

46. Riz Italien au Seitan

Donne 4 portions

- 2 tasses d'eau
- 1 tasse de riz brun ou blanc à grains longs
- 2 cuillères à soupe d'huile d'olive
- 1 oignon jaune moyen, haché
- 2 gousses d'ail émincées
- 10 onces de seitan, fait maison ou du commerce, haché
- 4 onces de champignons blancs, hachés
- 1 cuillère à café de basilic séché
- $1/2$ cuillère à café de graines de fenouil moulues
- $1/4$ cuillère à café de poivron rouge broyé
- Sel et poivre noir fraîchement moulu

Dans une grande casserole, porter l'eau à ébullition à feu vif. Ajouter le riz, réduire le feu à doux, couvrir et cuire jusqu'à ce qu'il soit tendre, environ 30 minutes.

Dans une grande poêle, chauffer l'huile à feu moyen.
Ajouter l'oignon, couvrir et cuire jusqu'à ce qu'il soit
ramolli, environ 5 minutes. Ajouter le seitan et cuire à
découvert jusqu'à ce qu'il soit doré. Incorporer les
champignons et cuire jusqu'à ce qu'ils soient tendres,
environ 5 minutes de plus. Incorporer le basilic, le
fenouil, le poivron rouge broyé et le sel et le poivre noir
au goût.

Transférer le riz cuit dans un grand bol de service.
Incorporer le mélange de seitan et bien mélanger. Ajoutez
une généreuse quantité de poivre noir et servez aussitôt.

47. Hash aux deux pommes de terre

Donne 4 portions

- 2 cuillères à soupe d'huile d'olive
- 1 oignon rouge moyen, haché
- 1 poivron rouge ou jaune moyen, haché
- 1 pomme de terre rousse moyenne cuite, pelée et coupée en dés de 1/2 pouce
- 1 patate douce moyenne cuite, pelée et coupée en dés de 1/2 pouce
- 2 tasses de seitan haché, fait maison
- Sel et poivre noir fraîchement moulu

48. Dans une grande poêle, chauffer l'huile à feu moyen. Ajouter l'oignon et le poivron. Couvrir et cuire jusqu'à ce qu'ils soient ramollis, environ 7 minutes.

49. Ajouter la pomme de terre blanche, la patate douce et le seitan et assaisonner de sel et de poivre au goût. Cuire à

découvert jusqu'à ce qu'ils soient légèrement dorés, en remuant fréquemment, environ 10 minutes. Servir chaud.

48. Enchiladas au seitan à la crème sure

POUR 8 PERSONNES

INGRÉDIENTS

Seitan

- 1 tasse de farine de gluten de blé vital
- 1/4 tasse de farine de pois chiches
- 1/4 tasse de levure nutritionnelle
- 1 cuillère à café de poudre d'oignon
- 1/2 cuillère à café d'ail en poudre
- 1 1/2 cuillère à café de bouillon de légumes en poudre
- 1/2 tasse d'eau
- 2 cuillères à soupe de jus de citron fraîchement pressé
- 2 cuillères à soupe de sauce soja
- 2 tasses de bouillon de légumes

Sauce à la crème sure

- 2 cuillères à soupe de margarine végétalienne

- 2 cuillères à soupe de farine
- 1 1/2 tasse de bouillon de légumes
- 2 cartons (8 oz) de crème sure végétalienne
- 1 tasse de salsa verde (salsa de tomatilles)
- 1/2 cuillère à café de sel
- 1/2 cuillère à café de poivre blanc moulu
- 1/4 tasse de coriandre hachée

Enchiladas

- 2 cuillères à soupe d'huile d'olive
- 1/2 oignon moyen, coupé en dés
- 2 gousses d'ail émincées
- 2 piments serrano, émincés (voir astuce)
- 1/4 tasse de pâte de tomate
- 1/4 tasse d'eau
- 1 cuillère à soupe de cumin
- 2 cuillères à soupe de poudre de chili
- 1 cuillère à café de sel
- 15-20 tortillas de maïs
- 1 paquet (8 oz) de râpés style cheddar Daiya
- 1/2 tasse de coriandre hachée

MÉTHODE

a) Préparez le seitan. Préchauffer le four à 325 degrés Fahrenheit. Huiler légèrement une cocotte à couvercle avec un spray antiadhésif. Mélanger les farines, la levure nutritionnelle, les épices et la poudre de bouillon de légumes dans un grand bol. Mélangez l'eau, le jus de citron et la sauce soja dans un petit bol. Ajouter les ingrédients humides aux ingrédients secs et remuer jusqu'à ce qu'une pâte se forme. Ajustez la quantité d'eau ou de gluten au besoin (voir le conseil). Pétrir la pâte pendant 5 minutes, puis former un pain. Placez le seitan dans la cocotte et couvrez de 2 tasses de bouillon de légumes. Couvrir et cuire 40 minutes. Retourner le pain, couvrir et cuire encore 40 minutes. Retirez le seitan du plat et laissez-le reposer jusqu'à ce qu'il soit suffisamment froid pour être manipulé.

b) Collez une fourchette dans le haut du pain de seitan et maintenez-le en place d'une main. Utilisez une deuxième fourchette pour déchiqueter le pain en petits morceaux et émietté.

c) Préparez la sauce à la crème sure. Faire fondre la margarine dans une grande casserole à feu moyen. Incorporer la farine avec un fouet et cuire 1 minute. Versez lentement le bouillon de légumes en fouettant constamment jusqu'à consistance lisse. Cuire 5 minutes en continuant de fouetter jusqu'à ce que la sauce épaississe. Incorporer la crème sure et la salsa verde, puis incorporer le reste des ingrédients de la sauce. Ne pas laisser bouillir, mais cuire jusqu'à ce que le tout soit bien chaud. Retirer du feu et mettre de côté.

d) Préparez les enchiladas. Chauffer l'huile d'olive dans une grande poêle à feu moyen. Ajouter l'oignon et cuire 5 minutes ou jusqu'à ce qu'il soit translucide. Ajouter l'ail et les piments Serrano et cuire 1 minute de plus. Incorporer le seitan râpé, la pâte de tomate, le cumin, la poudre de chili et le sel. Cuire 2 minutes, puis retirer du feu.

e) Préchauffez le four à 350 degrés Fahrenheit. Réchauffez les tortillas dans une poêle ou au micro-ondes et couvrez-les d'un torchon. Étalez 1 tasse de sauce à la crème sure au fond d'un plat allant au four de 5 litres. Placez un peu de 1/4 tasse du mélange de seitan râpé et 1 cuillère à soupe de Daiya sur une tortilla. Rouler et placer dans le plat allant au four, joint vers le bas. Répétez avec les tortillas restantes. Couvrir les enchiladas avec le reste de la sauce à la crème sure, puis saupoudrer de Daiya.

f) Cuire les enchiladas pendant 25 minutes ou jusqu'à ce qu'elles bouillonnent et qu'elles soient légèrement dorées. Laisser refroidir 10 minutes. Saupoudrer de 1/2 tasse de coriandre hachée et servir.

49. Rôti de seitan farci végétalien

Ingrédients

Pour le seitan:

- 4 grosses gousses d'ail
- 350 ml de bouillon de légumes froid
- 2 cuillères à soupe d'huile de tournesol
- 1 cuillère à café de Marmite en option
- 280 g de gluten de blé vital

- 3 cuillères à soupe de flocons de levure nutritionnelle
- 2 cuillères à café de paprika doux
- 2 cuillères à café de bouillon de légumes en poudre
- 1 cuillère à café d'aiguilles de romarin frais
- ½ cuillère à café de poivre noir

Plus:

- 500 g de farce végétalienne au chou rouge et aux champignons
- 300 g de purée de citrouille épicée
- Métrique - US coutumier

Instructions

a) Préchauffez votre four à 180 ° C (350 ° F / gaz 4).

b) Dans un grand bol, mélanger ensemble le gluten de blé vital, la levure nutritionnelle, la poudre de bouillon, le paprika, le romarin et le poivre noir.

c) À l'aide d'un mélangeur (plan de travail ou à immersion), mélangez l'ail, le bouillon, l'huile et la marmite, puis ajoutez-les aux ingrédients secs.

d) Bien mélanger jusqu'à ce que tout soit incorporé, puis pétrir pendant cinq minutes. (note 1)

e) Sur un grand morceau de papier sulfurisé en silicone, étalez le seitan en une forme vaguement rectangulaire, jusqu'à ce qu'il mesure environ 1,5 cm (½ ") d'épaisseur.

f) Tartiner généreusement avec la purée de potiron, puis ajouter une couche de farce aux choux et champignons.

g) En utilisant le papier sulfurisé et en commençant par l'une des extrémités courtes, roulez soigneusement le seitan en forme de bûche. Essayez de ne pas étirer le seitan pendant que vous faites cela. Appuyez sur les extrémités du seitan ensemble pour sceller.

h) Enveloppez fermement la bûche dans du papier d'aluminium. Si votre feuille est mince, utilisez deux ou trois couches.

i) (J'enveloppe le mien comme un caramel géant - et je tord fermement les extrémités du papier d'aluminium pour l'empêcher de se défaire!)

j) Placez le seitan directement sur une grille au centre du four et faites cuire pendant deux heures, en le retournant toutes les 30 minutes, pour assurer une cuisson et un brunissement uniformes.

k) Une fois cuit, laissez le rôti de seitan farci reposer dans son emballage pendant 20 minutes avant de le trancher.

l) Servir avec des légumes rôtis traditionnels, une sauce aux champignons préparée à l'avance et toute autre garniture de votre choix.

50. Sandwich cubain au seitan

Ingrédients

- Mojo seitan rôti:
- 3/4 tasse de jus d'orange frais
- 3 cuillères à soupe de jus de citron vert frais
- 3 cuillères à soupe d'huile d'olive
- 4 gousses d'ail émincées
- 1 cuillère à café d'origan séché
- 1/2 cuillère à café de cumin moulu
- 1/2 cuillère à café de sel
- 1/2 livre de seitan, tranché en tranches de 1/4 po d'épaisseur

Pour l'assemblage:

- 4 rouleaux de sandwich sous-marins végétaliens de 6 à 8 pouces de long ou 1 pain italien végétalien moelleux, tranché dans le sens de la largeur en 4 morceaux
- Beurre végétalien, à température ambiante, ou huile d'olive

- Moutarde jaune
- 1 tasse de tranches de cornichon pain et beurre 8 tranches de jambon végétalien du commerce
- 8 tranches de fromage végétalien au goût doux (saveur de fromage américain ou jaune préféré)

les directions

a) Préparez le seitan: Préchauffez le four à 375 ° F. Fouetter ensemble tous les ingrédients du mojo, sauf le seitan, dans un moule en céramique ou en verre de 7 x 11 pouces. Ajouter les lanières de seitan et mélanger pour enrober de marinade. Rôtir pendant 10 minutes, puis retourner les tranches une fois, jusqu'à ce que les bords soient légèrement dorés et qu'il reste encore de la marinade juteuse (ne pas trop cuire!). Sortez du four et laissez refroidir.

b) Assembler les sandwichs: Trancher chaque rouleau ou morceau de pain en deux horizontalement et étaler généreusement les deux moitiés avec le beurre ou badigeonner d'huile d'olive. Sur la moitié inférieure de chaque rouleau, étendre une épaisse couche de moutarde, quelques tranches de cornichon, deux tranches de jambon et un quart des tranches de seitan, et garnir de deux tranches de fromage.

c) Tamponnez un peu de la marinade restante sur le côté coupé de l'autre moitié du rouleau, puis placez-les sur la moitié inférieure du sandwich. Badigeonner l'extérieur du sandwich avec un peu plus d'huile d'olive ou tartiner avec le beurre.

d) Préchauffer une poêle en fonte de 10 à 12 pouces à feu moyen. Transférer doucement deux sandwichs dans la poêle, puis garnir de quelque chose de lourd et résistant à la chaleur, comme une autre casserole en fonte ou une brique recouverte de plusieurs couches de papier d'aluminium résistant. Faites griller le sandwich de 3 à 4 minutes en veillant bien à ce que le pain ne brûle pas; si nécessaire, baisser légèrement le feu pendant la cuisson du sandwich.

e) Lorsque le pain semble grillé, retirez la casserole / la brique et utilisez une large spatule pour retourner soigneusement chaque sandwich. Appuyez à nouveau avec le poids et laissez cuire encore 3 minutes environ, jusqu'à ce que le fromage soit chaud et fondant.

f) Retirer le poids, transférer chaque sandwich sur une planche à découper et trancher en diagonale avec un couteau dentelé. Servir chaud!

CONCLUSION

Le tempeh offre une saveur de noisette plus forte et est plus dense et plus riche en fibres ʊ en protéines. Le seitan est plus sournois que le tempeh car il peut souvent passer pour de la viande en raison de sa saveur savoureuse. En prime, il est également plus riche en protéines et plus faible en glucides.

Le seitan est la protéine la moins végétale qui nécessite le moins de préparation. Vous pouvez généralement remplacer le seitan par de la viande dans les recettes utilisant une substitution 1: 1 et contrairement à la viande, vous n'avez pas à chauffer avant de manger. L'une des meilleures façons de l'utiliser est de les émietter dans une sauce pour pâtes.

Quand il s'agit de tempeh, il est important de bien mariner. Les options de marinade peuvent inclure de la sauce soja, du jus de citron vert ou de citron, du lait de coco, du beurre d'arachide, du sirop d'érable, du gingembre ou des épices. Si vous n'avez pas des heures pour mariner votre tempeh, vous pouvez le faire cuire à la vapeur avec de l'eau pour l'adoucir et le rendre plus poreux.

Lightning Source UK Ltd.
Milton Keynes UK
UKHW020737150621
385538UK00001B/106